Stefan Heym · Pargfrider

Stefan Heym

Pargfrider

Roman

C. Bertelsmann

Umwelthinweis:
Dieses Buch und sein Schutzumschlag
wurden auf chlorfrei gebleichtem Papier gedruckt.
Die vor Verschmutzung schützende Einschrumpffolie
ist aus umweltschonender und recyclingfähiger
PE-Folie.

1. Auflage 1998
Copyright © 1998 by Stefan Heym
© für die deutschsprachige Ausgabe
C. Bertelsmann Verlag GmbH, München 1998
Satz: Uhl + Massopust, Aalen
Druck und Bindung: Graphischer Großbetrieb Pößneck
Printed in Germany
ISBN 3-570-00182-2

Meiner Frau Inge
zum Dank für ihre Ermutigung
und kluge Kritik,
ohne welche
dies Buch kaum zustande
gekommen wäre

EINFÜHRUNG

Das erste Mal hörte ich von Pargfrider durch den Leutnant Wladimir Dawydowitsch Grinberg, der bei den Sowjets in Wien in einer ganz ähnlichen Funktion arbeitete wie ich bei den Amerikanern in Westdeutschland: er übermittelte den Zeitungen, die in der russischen Besatzungszone Österreichs für die einheimische Bevölkerung herausgegeben wurden, ihre Direktiven und beaufsichtigte deren Durchführung.

Ich war auf abenteuerliche Weise von unserm Hauptquartier in Bad Nauheim in einem offenen Zweisitzer nach Wien geflogen worden, um mit unsern Leuten dort ein paar Dinge bezüglich eines gemeinsamen Pressedienstes zu koordinieren. Aber da die Österreicher nicht wie die Deutschen besiegt, sondern, wie es offiziell verlautete, durch die Alliierten befreit worden waren, bestand in Wien zwischen dem Personal der Besatzungsmächte ein etwas herzlicheres Verhältnis als etwa in Berlin; schon die Militärpolizeipatrouillen, bei denen auf den Jeeps je ein Soldat der vier verschiedenen Armeen saß, demonstrierten eine gewisse Gemeinsamkeit der Sieger, ganz abgesehen von den Parties, auf welchen, wenn auch nicht allzu häufig, Offiziere verwandter Dienste der Verbündeten zusammenkamen.

Auf einer dieser Parties, die in der kurzen Zeit meines Wiener Aufenthalts stattfand, begegnete ich dem Leutnant Grinberg, und ob es nun die parallelen Interessen waren, erzeugt durch unser beider gleiche quasi-journalistische Arbeit in den jeweiligen Streitkräften, oder ein persönlicher Sympatico, oder der

Alkohol, bald fraternisierten wir miteinander, ich war Stjepan und er Wolodja, und als er gar erfuhr, daß ich in Amerika einen Roman geschrieben hatte über den Widerstand gegen die Nazis in Prag, der in russischer Übersetzung in einer Moskauer literarischen Zeitschrift erschienen war, zeigte sich bei ihm jenes Ehrfurchtssyndom, das sich in dem intensiven Wunsche äußert, dem verehrten Autor das Thema für sein nächstes Buch aufzudrängen, frei und gratis selbstverständlich.

Das Thema war Pargfrider. Mein Interesse wuchs, je länger Grinberg erzählte – er sprach deutsch mit mir, mit jiddischer Intonation –, und als er gar von einem Band alter Aufzeichnungen dieses Pargfrider sprach, sorgfältig geordnet und in Leder gebunden, welchen er in einem lange unbenutzten Raum des Schlosses Wetzdorf zwischen allerlei Gerümpel aus der Biedermeierzeit entdeckt und mitgenommen habe, fragte ich mich, ob nicht doch mehr hinter der Sache steckte als meine Skepsis mich zunächst hatte vermuten lassen; vielleicht war mir wirklich durch diesen eifrigen russischen Leutnant eine literarische Kostbarkeit in den Schoß gefallen, und ich mußte nur rasch handeln, um mich seines Fundes zu versichern.

*

Da saß er nun, der Leutnant Grinberg, in der einen Hand das Glas mit dem Scotch, den ich zu der Party beigetragen, und in der andern das dunkle Brot mit der Kolbas, die er mitgebracht hatte, und redete zwischen Kauen und Schlucken, »Oberst Petruschkin, mein Vorgesetzter, ist ein Durák, ein Idiot, ein kompletter. Natürlich war der Kerl gescheit genug, sich wo es ging hinter den Linien zu halten, außer Schußweite, aber der Vormarsch auf Wien verlief so überstürzt, daß der Genosse Oberst sich plötzlich noch vor der Vorhut seines Regiments fand in seinem Beute-Benz, ich neben ihm auf dem Rücksitz, vorn der Fahrer und ein schwerbewaffneter Sergeant, und weit hinter uns die Truppe nur noch zu ahnen; oder vielleicht suchte Petruschkin mir auch zu imponieren durch seine plötzliche Kühnheit – du bist ein Jid, ein schlauer, Wolodja, pflegte er mir zu sagen, und ich kann dich brauchen, aber gib acht: zu große, wie sagt ihr unter euch, zu große Chochme hat manch einen schon den Kopf gekostet und den Kragen dazu.«

»Ich kenn derart höhere Chargen«, sag ich ihm, »sie bevölkern alle Armeen.«

»Nein«, sagt er, »Typen wie Petruschkin, Sergej Nikititsch, kannst du nicht kennen, Stjepan, mein Freund, wie du auch nicht kennst die Partei, deren faule Frucht sie sind.«

Mich verwunderte, daß der Leutnant Grinberg so sprach von der Partei des großen Stalin, die alles in seiner Sowjetwelt lenkte, den Krieg und den Frieden und des einzelnen Wohlergehen, und die ein Tabu-Thema war, zumindest nichtsowjetischen Menschen gegenüber, und ich blickte rasch um mich, aber niemand schien sich für uns zwei besonders zu interessieren; in einer Ecke des Raums wurde gesungen, abwechselnd Cowboy-Songs und Kosakenlieder und das ewige *Kalinka Moja*, man schlug sich den Bauch voll und radebrechte einer des andern Sprache und zelebrierte Druschba, Freundschaft, und Grinberg fuhr fort, »Plötzlich läßt Petruschkin halten, steigt aus und richtet seinen Feldstecher auf das bewaldete Tal zur Rechten und die Anhöhe dahinter; dann winkt er mir zu und hält mir das Fernglas vor die Nase, und tatsächlich erkenn ich auf dem Hügel über einer Freitreppe einen tempelähnlichen, mäßig hohen Bau mit klassischen Säulen davor und entziffer mühsam eine Inschrift auf dem Sims, *Den würdigen Söhnen des Vaterlandes*, und etwas von bewiesener Tapferkeit, und die Jahreszahlen 1848 und 1849, patriotischer Schwulst also von Anno dazumal, und entdecke dann zwischen den Stämmen der Bäume im Vordergrund vereinzelte Militärposten, ausstaffiert sonderbarerweise in buntgescheckter Paradeuniform, mit spitz zulaufenden Bä-

renmützen auf dem Kopf und das Gewehr geschultert samt auf-
gepflanztem Bajonett, und Petruschkin sagt zu mir, Was halten
Sie davon, Grinberg, und ich sag, Komisch ist es schon irgendwie, ich werde mal gehn schauen, und er sagt, Den Teufel werden Sie, Sie werden zurückfahren in meinem Wagen und das
Vorausbataillon hierherdirigieren, fertig zum Sturm, und der
Sergeant und ich werden hierbleiben und die Stellung halten bis
dahin, und wie ich Petruschkin sag, er soll doch sein Leben nicht
so blindlings riskieren, dafür wären andere da, erwidert er, es
gäbe eben Momente im Leben eines Soldaten, in denen er besagtes Leben in die Schanze zu schlagen habe, gleich wann und wie
und welches die Umstände, und dies sei ein solcher Moment.«

Grinberg lacht, und da er sein Brot mitsamt der Kolbas inzwischen vertilgt hat, haut er mir mit der freien Hand auf den
Schenkel und sagt, »Du siehst, Stjepan, ein regulärer Held!« und
fährt fort zu erzählen, wie er im Auto dann seine österreichische
Karte aufgeschlagen aufs Knie legt und an der Stelle, wo er den
Oberst Petruschkin zurückgelassen, die Bezeichnung *Heldenberg, Nationalmonument* findet und den Ortsnamen Klein-
Wetzdorf mit dem Zusatz »Schloß« in Klammern, und bald darauf dem vordersten Bataillon seines Regiments begegnet, und
wie er das Bataillon, nach einiger Überzeugungsarbeit bei dessen Offizieren, tatsächlich dem Obersten zuführt, welcher es
sofort in Sturmposition aufstellt und das Kommando zum Angriff gibt.

»Das war mal ein großartiger Schlachtenlärm!« beschreibt
Grinberg die Operation. »Die gepanzerten Fahrzeuge durch-
brechen das Gehölz, aus allen Rohren feuernd auf die stoisch-
ungerührten Verteidiger. Von denen kippen die einen um, die
andern zerbersten und verstreuen ihr blechernes Eingeweide im
Umkreis. Dann stoppt der Angriff, die Infantrie springt ab, die
Männer werfen ihre Mützen in die Luft und wälzen sich vor
Vergnügen auf der Erde und ein ungeheures Gelächter erhebt

sich vom linken Flügel her und rollt über das Zentrum der Truppe bis hin zur äußersten Rechten; man hatte eine Attacke geritten gegen mannshohe Spielzeugsoldaten, die irgendein österreichischer Potemkin irgendwann dort aufgestellt hatte, aus kriegerischer Laune oder einfach zur Dekoration und der Genosse Oberst hatte die Kulisse für die Realität genommen.«

»So sind sie, die höheren Chargen«, sage ich. »Und wie weiter?«

»Wie weiter?« Grinberg gießt sich Sto Gramm nach, Scotch. »Natürlich kann der Durák nicht eingestehen, daß er einer neuen Version des alten Schwindels aufgesessen ist, und läuft herum und brüllt, es wär eine Falle! Eine verfluchte Falle! Und ordert, sammeln! Formation! Und verlangt, das umliegende Gelände nach allen Seiten hin zu durchkämmen und zu sichern, und ich seh und hör noch jetzt, da ich hier neben dir sitz, Stjepan, wie unsre Panzerwagen mit den Leuten aufgesessen durch eine großzügig angelegte Parkanlage rasseln, deren Alleen von einem Obelisken aus strahlenförmig in mehreren Richtungen in die Weite führen und gesäumt sind von langen Reihen auf Podeste placierter metallener Büsten.«

Ich versuche, mir das vorzustellen: es muß eine beeindruckkende Vista gewesen sein, die sich meinem Freund Wolodja da auftat; und nur sein Oberst Petruschkin, der mit zorngeröteten Augen immer noch tobte, dürfte störend gewirkt haben. Inzwischen, erzählt Grinberg weiter, öffnet sich da auf der Anhöhe das mittlere Tor des Tempelchens, oder was auch immer der Bau, und heraus schiebt sich, furchtsam um sich blickend, ein in grünen Loden gekleideter Mensch, betagt schon, vielleicht eine Art von Parkwächter, den eine Riesendogge, durch eine Kette an ihn gebunden, in Richtung auf Petruschkin zerrt.

Petruschkin reißt seine Pistole aus dem Holster, kreischt: »Stoj!«

Doch der Köter scheint wenig beeindruckt, trotz der unter-

stützenden »Kusch!« und »Sitz!« und »Willst du wohl, Felix!«
des Alten. Er knurrt bösartig, richtet sich hoch auf seinen Hin-
terbeinen und gerät so, mit geblecktem Gebiß sein Herrchen
hinter sich herschleppend, in immer bedrohlichere Nähe Petruschkins.

Und Petruschkin schießt.

Der Schädel des Hunds zerbirst. Eine Blutlache bildet sich
rasch, in welcher der Wachmann niederkniet und den Kadaver
verzweifelt zu schütteln beginnt.

»Gestatten, Genosse Oberst?«

Grinberg erbittet, militärisch stramm, die Genehmigung seines Vorgesetzten, mit dem Trauernden zu parlieren; als fürchte
er eine feindliche Kriegslist, zögert Petruschkin zunächst, das
Verhör zu gestatten. Schließlich nickt er, und so erfährt Grinberg denn nach längerem, durch den Dialekt des Mannes, seine
Zahnlosigkeit und wiederholten Gefühlsausbrüche über Feli-
xens Verlust erschwertem Hin und Her, daß das Gebäude auf
dem Hügel mit dem klassischen Vorbau über der Freitreppe
einst ein Heim sein sollte für Veteranen der alten Kaiserlich-
Königlichen Österreichischen Armee, gegründet und finanziell
ausgestattet durch Siegel und Testament vor fast hundert Jahren
schon von dem Eigner des Schlosses Wetzdorf, dem Herrn Baron Pargfrider – der Alte deutet mit dürrem Finger auf die Wip-
fel einer kleinen Waldung unweit und krächzt: »Der Herr Offizier können die Dächer vom Schloß hinter den Bäumen dort
erkennen – von dem Herrn Baron Pargfrider also, er ruhe in
Frieden in seinem Mausoleum dort drüben –« und wieder der
Finger, diesmal auf den Obelisken im Mittelpunkt der Alleen
weisend –, »dem Herrn Baron Pargfrider, der damals steinreich
geworden ist als Lieferant von allen möglichen Gütern, aber vor
allem von Leinwand und Zwilch für die alte Kaiserlich-Königli-
che Österreichische Armee« – welch Veteranen die Aufgabe
haben sollten, den Heldenberg hier, die ganze Anlage mitsamt

den Büsten der Helden alle und der Statuen des guten Kaisers Franz Joseph und der Herrn Feldmarschälle Wimpffen und Radetzky sauber und in guter Ordnung zu halten; aber die Veteranen der alten Kaiserlich-Königlichen Österreichischen Armee zogen nie ein in ihr geplantes Domizil, der gute Kaiser Franz Joseph hätt keine solche persönliche Leibgarde gewollt für den Herrn Baron Pargfrider, ergänzt der Alte, und von da an hätt es immer nur einen Wächter mit Hund gegeben für die Reinhaltung und die Fürsorge, und nun wär der Hund auch tot, und der schöne Tempel nichts wie ein Geräteschuppen, worin Besen und Schaufeln und Hacken und Harken, der Herr Offizier könnt ja hingehen und sich's selber anschaun, wenn's gefällig wär, und ob er nun fortkönnt und seinen armen Felix begraben, er wär doch nur ein kleiner Beamter, ein österreichischer, und hätt diesen Krieg nicht angefangen, und seine Landsleut auch nicht.

»Und Petruschkin?« frage ich.

Petruschkin hätte wieder losgeschimpft. Wie der Kerl es hätte wagen können, röhrte er, seinen Hund gegen einen hohen Offizier der heldenhaften sowjetischen Armee zu hetzen, und der Teufel wisse, was, und wer, sich wirklich in dem Bauwerk da oben versteckt hielt, der Akt mit dem Köter wäre ein typisches Ablenkungsmanöver gewesen, und orderte seinen Sergeanten mit einer Patrouille, das angebliche Veteranenheim der alten Kaiserlich-Königlichen Österreichischen Armee zu durchsuchen. Und nachdem zehn Mann, Kalaschnikows im Anschlag, die Freitreppe hinaufgestapft und in das Tempelchen eingedrungen waren, so berichtet mir Grinberg weiter, und der Sergeant dem Obersten rapportiert hatte, daß sich tatsächlich nur Gartenwerkzeug, allerdings in wilder Unordnung, dort oben befände, habe ein anderes Objekt Petruschkins Argwohn bereits wieder erregt: der Obelisk nämlich im Zentrum der Anlage. Mausoleum! ruft er, wer garantiere ihm, daß dieser steinerne Bleistift mit dem Engel oder was immer die Figur auf der

Spitze bedeuten sollte nur irgendein alter Turm war und nichts sonst; und selbst wenn ja, sorgte er sich, was, und wer, mochte sich nicht bei den Toten darin versteckt halten, und wer überhaupt waren diese Toten?

Ich geh also, erzählt mir Grinberg, und stoß das eiserne Tor auf, das da eingefügt ist in den Fuß des Obelisken, und les die in den Stein hinter dem Tor gehauene Mahnung, in altertümlicher Orthographie, *Ehret, schonet und erhaltet das Eigenthum der Todten!*, und seh, daß da eine Treppe nach unten ins Dunkel führt, in das eigentliche Grabgewölbe wohl, und melde Petruschkin die Lage; der fühlt seinen schlimmsten Verdacht bestätigt, und sein Drang zu kriegerischen Aktivitäten belebt sich von neuem: er stellt einen zweiten Spähtrupp zusammen, lauter erprobte Männer, denen er Wodka verabreichen läßt, und blickt mich so an von der Seite, und ich sag, Lassen Sie mich das machen, Genosse Oberst, und er sagt, ich geb Ihnen einen Doppelten, und ich sag, wenn ich den Pargfrider gefunden habe, dann werd ich trinken, der Mann beginnt mich zu interessieren, und er sagt, eine Kugel werden Sie kriegen in den Bauch, aber Poschaluista, bittesehr, und ich antworte, was wetten wir, die Toten schießen nicht mehr, und er sieht ein, daß er zusammen mit mir da hinunter muß zu den Toten, wenn er sich nicht blamieren will vor mir und der Truppe, und so steigen wir ein in den Obelisken, jeder eine Hand auf der Schulter des Vordermanns, nur ich hab keinen Vordermann, ich muß mir den Weg die steile Treppe hinab in die Tiefe selber ertasten, und halt meine Taschenlampe und Petruschkin seinen Revolver, und dann seh ich, daß da erloschene Fackeln stecken in Haltern an der Wand, und ich ruf, man soll versuchen sie anzuzünden, und der Sergeant kommt mit Streichhölzern und ein paar Seiten Prawda als Fidibus, und wirklich fangen die Fackeln Feuer, und es zeigt sich mir ein Bild, welches ich nicht vergessen werd, solang ich leb: die Gruft, die Wände, weißlich grau, darauf die

Schatten, meiner und Petruschkins und die Schatten der Mannschaften, und rechts ein Sarkophag und links einer, halb geöffnet, und in jedem von ihnen eine Mumie kostümiert in heller Uniform mit goldenem Kragen und goldenen Litzen und seidener Schärpe und Reihen von Orden, die trotz dem Staub der Jahre darauf glitzern und blinken in dem düster flackernden Licht, und da sind Schilder aus Messing, und ich nehm die Taschenlampe und les auf dem einen, *Reichsfreiherr Maximilian Hermann von Wimpffen, Kaiserlicher Feldmarschall*, und auf dem andern *Feldmarschall Josef Wenzel Graf Radetzky von Radetz*, und dann erblick ich auf dem Steinboden zwischen den Sarkophagen eine eiserne Falltür, darauf Zeichen und Symbole, deren Bedeutung mir unbekannt, und Petruschkin sagt heiser, Was meinen Sie, Grinberg, und ich wink dem Sergeanten, und der, mit drei Leuten, stemmt die schwere Falltür auf, und ein Moderduft steigt auf von unten, und trotz der Schwärze in dem viereckigen Loch lassen sich Stufen erkennen, eng und feucht glänzend, und wieder tast ich mich vorsichtig hinunter, und spür hinter mir Petruschkin, der sich auf mich stützt, und hör die Schritte des Sergeanten und ein paar anderer noch, und dann erblick ich im Kegel meiner Lampe vor der rückwärtigen Wand ein thronsesselähnliches Möbel, oder ist es ein Sarg, schräg aufrecht gestellt, darin lehnend und ohne jedes Namensschild ein Geharnischter, die Hände gekrallt um den Knauf seines Ritterschwerts, das man ihm senkrecht zwischen die Knie geklemmt hat, nur daß er merkwürdigerweise über der Rüstung, von den gepanzerten Schultern bis hinab unter die Beinschienen, einen rotseidenen Schlafrock trägt, unter welchem die gepanzerten Füß hervorlugen; und fast möchtest du glauben, er schaut dich an, dieser dritte Tote, aber dann erkennst du, unter dem offenen Visier, seine Augen sind lang schon verwest in ihren Höhlen.

»Pargfrider?« frag ich.

»Wer sonst«, bestätigt Grinberg. »Wer sonst konnte es gewesen sein. Und ich denk, was für eine Einbalsamierungsarbeit, bei allen dreien! Nicht ganz so gut wie bei dem Genossen Lenin, aber der wird ja auch dauernd erneuert. Und denke, kein Wunder, Pargfrider konnte sich's leisten, schließlich hat er die Armeen der beiden Feldmarschälle beliefert, unter denen er sich hat placieren lassen zur letzten Ruh, und muß sich gehörig bereichert haben an den Kriegen, welche sie führten.«

Grinberg wartet, bis er annehmen kann, daß ich seine Schilderung bis ins letzte dramatische Detail begriffen habe und bereit bin für den Clou, den er noch in petto hat; dann erst redet er weiter, und erzählt, wie erleichtert, ja erlöst Petruschkin zu sein schien, daß die Schatten in dieser Unterwelt nicht irgendwelche Gespenster waren, die mit kalten Händen ihm nach der Gurgel griffen, oder gar ein Trupp versteckter Deutscher, der aus dem Hinterhalt auf ihn schoß; und in dem Übermut, der ihn ergriff, habe der Oberst sich an den Toten herangeschlichen, nah und immer näher, und ihm mit frech erigiertem Zeigefinger an die lange, krumme, wie von Pergament überzogene Nase gepiekt.

»Und in dem Moment«, sagt Grinberg, »löst sich der Helm mitsamt dem Kopf darin vom Halse Pargfriders und klirrt auf den steinernen Boden, wie eine Kanonenkugel, von dem Toten selber gefeuert, und rollt noch ein Stück, und Petruschkin und der Sergeant und der Rest wenden sich ab in panischem Schrecken und tappen die glitschigen Stufen hinauf und sind verschwunden.«

Er trinkt. Fast seh ich ihn vor mir, den kleinen Leutnant Grinberg, allein gelassen mit dem kopflosen Ritter Pargfrider in dem dumpfen Dunkel, und nur die Taschenlampe in der Hand, an die er sich halten kann, und frag ihn, »Und du, Wolodja?«

»Ich hab den Schädel genommen«, sagt er, »mit den paar Haaren darauf, die ihm verblieben waren und der roten Samtkappe, die er merkwürdigerweise aufhatte, und hab ihn dem Pargfrider zurück auf die Schulterknochen gesetzt, und ihm den Helm über Schädel und Kappe gestülpt und das Ganze dann festgebunden mit einem Fetzen Leinwand, ein Stück Armeelieferung vielleicht von damals noch, das ihm einer in den Sarg gelegt als Muster fürs Jenseits und das jetzt ein Halstuch besonderer Art geworden, und bin dann, Stufe um Stufe und sehr nachdenklich, nach oben gestiegen ans liebe Tageslicht.«

Dort, fährt er fort, habe er Petruschkin vorgefunden, schon wieder erholt von seinem Schrecken, und Petruschkin habe ihn beschieden, »Vergessen Sie nicht, Genosse Leutnant, unser kühnes Eindringen in die Grabkammer zu erwähnen, wenn Sie Ihren Rapport schreiben an den Stab über den Sieg der glorreichen sowjetischen Armee bei Klein-Wetzdorf, und daß wir in keiner Weise uns haben imponieren lassen von dem Totenkult der Bourgeoisie, dem dekadenten.«

*

Einige Zeit schon hatte ich den Offizier mit den breiten Epauletten auf den Schultern und den prächtigen Ordensspangen auf der Brust bemerkt, der sich leicht schwankend hinter Grinberg aufgebaut hatte und mißtrauischen Auges mich einzuschätzen suchte. Grinberg schien seine Gegenwart nun auch zu fühlen, wandte sich um, sprang auf und stellte vor, »Oberst Petruschkin, Sergej Nikititsch«, und, ohne auch nur einen Anklang von Ironie in der Stimme, »der Sieger von Klein-Wetzdorf.«

Ich erhob mich, nahm Haltung an und murmelte meinen Namen und Dienstrang. Dann redeten die beiden Russisch miteinander, von dem ich nur ein paar Brocken verstand; ihren Gesten entnahm ich, daß Grinberg berichten mußte, was ich in Wien tat und durch wen und wieso ich zu dieser Party gekommen war und worüber er, Grinberg, und ich miteinander gesprochen hatten; das Mißtrauen wich auch nicht aus des Obersten Blick, nachdem er großzügig verkündet hatte, wir sollten uns nicht weiter stören lassen, und sich endlich zu einer Gruppe von Offizieren seines oder sogar noch höheren Ranges zurückzog. Grinberg blickte ihm nach, bis er ihn wieder sicher in seinem tiefen Sessel placiert sah; erst dann vertraute er mir an, daß Petruschkin auch jetzt noch sein Vorgesetzter war, nur, da der Krieg vorbei, nicht mehr als Regimentschef sondern als Chefzensor; der Marschall, der die Front kommandierte, habe bei der Verteilung der administrativen Ämter in der sowjetischen Zone Österreichs geäußert, Stecken wir den Sieger von Klein-Wetzdorf in was Geistiges, da kann er den wenigsten Schaden anrichten.

»Ich hoffe um deinetwillen, Wolodja«, sag ich, »der Marschall behält recht.«

»Wieso? Was befürchtest du, Stjepan?«

»Petruschkin hat dich in seiner Macht«, sag ich.

Grinberg wird nachdenklich. »Vielleicht doch nicht so ganz«, erwidert er dann. »Vergiß nicht, ich hab den Rapport geschrieben an den Marschall. Und darin steht einiges Aufschlußreiche über den Sieger von Klein-Wetzdorf.«

»Was dieser aber auch gelesen haben wird«, gebe ich zu bedenken.

»Selbstverständlich.« Grinbergs Lachen klingt etwas gezwungen. »Aber er ist ein Goj, ohne Ohr für Zwischentöne, und ein halber Analphabet.«

»Das sind die Gefährlichsten«, sage ich und empfinde so etwas wie Angst um den Leutnant Grinberg. Und frage, ohne zu wissen, wieso der Gedanke daran mir gerade in dem Moment in den Kopf gekommen ist, »Und wie war das mit den alten Aufzeichnungen, den in Leder gebundenen – weiß dein Sergej Nikititsch davon, war er etwa sogar dabei, als du das Buch gefunden hast?«

Ich spüre, wie Grinberg, Punkt um Punkt, die Bilder und Ereignisse jenes Tags zu rekonstruieren sucht in seinem Gedächtnis. »Wir sind durch die Alleen des Heldenbergs gefahren, unter Bedeckung, und ich dachte, hier könnte der denkmalslüsterne Genosse Stalin sich noch ein paar Inspirationen holen für seine Monumente: welch schöner Naturalismus war hier praktiziert worden bei den epaulettengeschmückten Torsos mit den aufgeprägten Ordensschärpen – bis hin zu den Spitzen der Schnurrbärte und den beginnenden Glatzen über den Locken –, welch Präzision bei den Inschriften auf den Sockeln der Büsten, alles war da, Rang und Titel der Helden und Ort und Jahr ihrer Taten: da hatte einer gewirkt, der sich seiner Verantwortung bewußt gewesen war für die Authentizität der Großen der Geschichte; leider nur waren eine Anzahl der Büsten, ob durch die Auswirkungen dieses Krieges oder der letzten Winterstürme, von ihren Untersätzen gekippt und lagen im Staub – und ich sah zu meiner Überraschung, sie waren weder aus Bronze noch Gußeisen, sondern aus einer Art billiger Legierung, Zinkblech wohl, und hohl im Innern: war der Liebhaber der österreichischen Militärhistorie am Ende doch ein Geizkragen gewesen und hatte am Material gespart in der Überzeugung, daß der äußere Schein genüge, weil man selbst dem Tapfersten nicht unter die Haut schauen konnte. Und Petruschkin, der mich beobachtet haben muß, fragt: Warum zum Teufel lachen Sie, Genosse Leutnant?«

Grinberg rückt näher an mich heran, gießt sich nach und senkt die Stimme. »Ich gesteh«, sagt er, »die Frage des Kerls klang mir irgendwie bedrohlich. Vielleicht glaubte er, einer wie ich hätte kein Recht sich lustig zu machen über Helden, selbst die einer längst toten Armee, oder sein eigner Mangel an Heroismus im Angesicht des Ritters Pargfrider in seiner Gruft wurmte ihn immer noch – jedenfalls beeilte ich mich, Sergej Nikititsch zu versichern, eine hohle Büste sei immer noch besser als gar kein Denkmal und es käme auf den Geist an, der sich da ausdrückte; schließlich aber juckte es mich doch und ich blickte ihm ins Gesicht: Oder glauben Sie nicht auch, Genosse Oberst, daß manche von denen, die bei uns zu Haus herumstehen auf Straßen und Plätzen, nicht innen ebenso hohl sind wie diese hier in Klein-Wetzdorf?«

Dann trinkt er, bis das Glas leer ist.

»Wolodja«, sag ich, »du bist verrückt. Selbst ich, in meiner US-Army, würde so nicht reden zu einem Vorgesetzten, besonders einem, an dessen Denkvermögen ich meine Zweifel hab.«

»Petruschkin kann nicht funktionieren ohne mich«, sagt Grinberg. »Jetzt, in seinem neuen Amt, noch weniger als früher.«

»Eben deshalb«, sage ich, »würde ich vorsichtig sein.«

Ich schweige, damit er Zeit hat, sich seine Antwort zu überlegen; doch auch er schweigt. Schließlich sage ich: »Also war er dabei, als du das alte Buch gefunden hast.«

»Wenn du so willst – Petruschkin war im gleichen Raum, aber total mit sich selber beschäftigt. Wir waren, nach dem Obelisken, auf einem sonderbarerweise recht gut asphaltiertem Weg die paar hundert Meter den Hügel hinab gefahren zum Schloß und inspizierten dort die Räume, hohe, weite Räume, angefüllt mit einem Gewirr von offensichtlich kostbaren antiken Möbeln und raren Kunstgegenständen, das Parkett ausgelegt in höchst dekorativen Mustern. Petruschkin hatte nur Augen für was er mitgehen lassen könnte als persönliche Beute, und erkundigte sich, wenn er stehenblieb vor einem der angestaubten Gemälde, Und von wem ist dies Bild, schätzen Sie, Grinberg, und das da von wem, und was glauben Sie, ist es wert, und in dem Schrank, das Porzellan, aus welcher Zeit stammt das, und ist es, auf Eid und Ehr, eine gute, wie nennt man das, Manufaktur, und das Silber, ist es auch echt, ja? –, und Empire, sagen Sie, Grinberg, was zum Henker ist Empire? Und ich erklär ihm, woher hätte er es auch wissen sollen, er stammt vom Dorfe und war hochgekommen in der Armee, nachdem die andern in den höheren Rängen, die Gebildeten, erschossen worden waren als Verräter zusammen mit dem Marschall Tuchatschewski oder krepiert in den sibirischen Lagern; und das Buch in seinem ledernen Einband lag da ganz unauffällig, und in einer Sekunde hatt ich's verstaut in meiner Umhängetasche, ich weiß nicht, warum es mich so lockte, ich konnt ja erst später das Titelblatt lesen, *Josef Gottfried Baron von Pargfrider* stand da in altertümlicher Schönschrift, *Seine Gedanken und Aufzeichnungen*, und die Jahreszahlen, *1857–58*.«

»Und du würdest es mir leihen?« frag ich ihn.

»Ich schenk's dir«, sagt er. »Du kannst was damit anfangen, ich nicht.«

Ich würd ihm dafür zahlen, biet ich ihm an. In Scotch. Die beste Währung im heutigen Österreich, ließe sich in alles konvertieren. Eine ganze Kiste Scotch, aus dem amerikanischen Armeeladen. Sie besäßen ja alle keine Reichtümer in ihrer Roten Armee, und was für Gelegenheit hätte er schon, sich eine kleine Reserve zuzulegen?

Aber er wehrt ab. Zahlen, sagt er, ich, ihn zahlen für eine Gefälligkeit einem amerikanischen Kameraden gegenüber, das ginge ihm gegen die Ehre. Für ihn wär es genug zu wissen, daß sein Material mir nützlich sein würde für einen neuen Roman oder auch für eine Erzählung nur. Und erkundigt sich, wie lange ich noch in Wien bliebe, damit er das Buch mir bringen könnte.

Nicht lange, leider, sag ich, und sehe, daß die höheren Herren am andern Ende des Raums sich zum Aufbruch rüsten. Auch Petruschkin hat sich aus seinem Sessel gehievt. »Mußt du auch gehen, Wolodja«, frag ich, »zusammen mit ihm?«

»Ich muß nicht«, sagt er, »aber es wäre nützlich. Sergej Nikititsch sagt immer, als eigene Weisheit natürlich und nicht als Zitat eines bekannten Klassikers: Vertrauen ist gut, Kontrolle ist besser.« Und schlägt mir vor, »Am nächsten Mittwoch, um halb vier Uhr nachmittags.«

»Und wo?« frag ich und offerier ihm die Halle im Hotel Bristol, wo man mich einquartiert hat.

»Besser nicht.« Er schüttelt den Kopf; auch im Imperial, dem sowjetischen Hauptquartier, sei ein Treff wie der unsere doch etwas zu auffällig; und nennt mir statt dessen das Café Central, ein Café sei neutraleres Territorium.

Ich nicke. Das Café Central, wie der Name schon sagt, im Zentrum der Stadt gelegen, war zu der Zeit eines der wenigen Lokale, in welchen alliiertes Personal, Amerikaner, Sowjets, Engländer, auch ein paar Franzosen, natürlich überwacht von ihren jeweiligen Geheimdiensten, miteinander verkehren konnten; österreichische Zivilisten hielten sich zumeist fern.

Wolodja stützt sich auf meine Schulter, um aufzustehen von dem Sofa, auf dem wir beide gesessen haben; seine Beine tragen ihn zwar, scheinen aber Schwierigkeiten miteinander zu haben; doch ebenso unsicher wirkt Petruschkin, als der betont langsam an uns vorüberzieht, wobei er mir huldvoll zunickt, ohne seinem Leutnant auch nur die geringste Beachtung zu schenken.

Dieser hat sich inzwischen seine Kappe aufgesetzt, schief überm Ohr, viel zu schief, hebt die Hand zum Salut und ruft, »Hurra für Pargfrider!«

Es war, wie ich heute weiß, auf lange Zeit sein letztes Hurra.

*

Ich wartete, wie verabredet, auf Grinberg. Ich wartete seit drei Uhr schon, ich bin ein pünktlicher Mensch, und ziehe es vor, lieber selber zu warten als andere auf mich warten zu lassen.

Halb vier verstrich, der Zeiger kroch gegen vier Uhr. Zunächst tröstete ich mich, indem ich all derer gedachte, die hier, im Café Central zu Wien, schon gesessen und auf ihre Partner gewartet hatten – zum Schachspiel, zu Besprechungen, politischen oder geschäftlichen, zu Interviews, seltener, viel seltener schon zu kurzem Liebesgetechtel. Trotzki war hier Stammgast gewesen in seiner österreichischen Zeit, und als die Nachricht von der russischen Revolution am Ballhausplatz eintraf, so geht

22

die Geschichte, lachte der Herr Außenminister, Czernin hieß er, Graf Czernin, Aber gehen's, wer soll denn die gemacht haben, der Dr. Bronstein vom Café Central vielleicht? Auch Lenin, hörte man, hätte mehr als einmal Kaffee getrunken im Central und die Zeitungen studiert, allein oder auch in Begleitung eines Mannes, der bei der k. und k. Polizei als sein Diener geführt wurde und der, später dann, unter dem Namen Stalin selbständig Geschichte machen sollte, gar nicht zu reden von den zahllosen Literaten und Journalisten, Hofmannsthal und Peter Altenberg und Karl Kraus und wie sie alle hießen, die hier ihre Zeit verbracht hatten, nütz oder unnütz; nicht daß die Räumlichkeiten und das Mobiliar des Hauses so behaglich und das verrauchte Halbdunkel über dem Ganzen so angenehm gewesen wären; wer wüßte schon, ohne ernsthafte Recherchen, zu sagen, weshalb gewisse Lokale in gewissen Städten zu gewissen Zeiten der Welthistorie ein gewisses Publikum an sich ziehen?

Nach über einer Stunde wurde das Warten mir lästig und ich begann zu überlegen, ob es sich lohnte, der Angelegenheit noch mehr Zeit und Gedanken zu widmen; vielleicht war der Band alter Notizen, den der Leutnant Wolodja Grinberg im Schloß Wetzdorf aufgestöbert hatte und den er dem Baron Pargfrider zuschrieb, doch nicht so interessant wie er es mir dargestellt, und sowieso mochte die Geschichte von Pargfrider und dessen makabren Neigungen durch unser beider Trunkenheit an jenem Abend aus jeder vernünftigen Relation geraten sein, so daß er sich jetzt genierte, mir unter die Augen zu treten.

Andererseits aber, dachte ich, gab es auch genügend sehr ernsthafte Anlässe, die einen in einen militärischen Apparat eingebundenen Subalternoffizier wie Grinberg zwingen konnten, einen Termin zu versäumen, und er hatte einfach keine Möglichkeit mehr gehabt, mich hier im Café oder in meiner Dienststelle oder beim Portier im Hotel Bristol zu benachrichtigen. Womit mir sofort der Oberst Petruschkin, Sergej Nikititsch, einfiel, dem, vorausgesetzt er hatte Kenntnis davon erhalten, ein erneutes Rendezvous Grinbergs mit mir höchst bedenklich erschienen sein mochte.

Und gesetzt dies war der Fall, überlegte ich weiter, was würde Petruschkin unternommen haben, ein solches Tête-à-tête zu verhindern? Ein entsprechender direkter Befehl von ihm hätte ja schon genügt, aber der Mann war, nach Grinbergs Schilderung, ein Feigling, und Feiglinge vermieden direkte Konfrontationen; eher würde Petruschkin, folgerte ich, andere Stellen seiner Armee einschalten, geheime wahrscheinlich, und ich befürchtete plötzlich, daß, während ich im Café Central noch auf den armen Grinberg wartete, dieser bereits in eine weit weniger anheimelnde Atmosphäre geraten sein mochte. Und alles wegen Pargfrider und dessen morbider Heldenverehrung und meines – und Grinbergs – Leichtsinn!

Ich ließ mir einen Kognak kommen gegen den kalten Schauder, der mir auf einmal im Nacken saß, und beschloß, Grinberg noch eine Stunde zu geben. Es wurde eine der bösesten Stunden meiner Armeezeit. Die Phantasie eines Schriftstellers ist ja schon von Berufs wegen ausschweifend und farbig, und ich stellte mir die Situationen vor, in die ich Grinberg gebracht haben könnte, eine hochnotpeinlicher als die andere, und sah ihn bereits vor dem Militärrichter, angeklagt wegen Staatsverleumdung und Hochverrats und was noch, und degradiert und in Ketten auf dem Weg in die finstersten Teile der Sowjetunion, und die Aufzeichnungen des Baron Pargfrider, in ihrem alten Ledereinband, in den Schmutz getreten von irgendwelchen Soldatenstiefeln. Und da war nichts, absolut nichts, was ich tun konnte für ihn; wie und über welche Stäbe und mit welchen Argumenten hätte ich auch durchdringen sollen zu dem Wiener alliierten Kontrollrat wegen einer Intervention bei dem sowjetischen Marschall für einen kleinen Leutnant; außerdem würde morgen schon mein wackeliger offener Zweisitzer auf dem Flugplatz stehen, mich zurückzufliegen nach Bad Nauheim.

Schließlich entschloß ich mich zu einem stillen Stoßgebet zu unserm, Grinbergs und meinem, gemeinsamem Gott, Gott möge doch bitte eine schützende Hand halten über ihn, und zahlte meine Rechnung und ging.

*

Wenn mich einer fragte, was ich als die größte Leistung eines Menschen unsres Jahrhunderts betrachte, würde ich sagen: daß er es fertiggebracht hat, bis dato zu überleben. Welch Zähigkeit, welch Mut und Geist, welch innere Balance benötigt man schon, um die Gefahren auch nur eines einzigen Alltags zu bestehen; wie erst, um nicht hinabgerissen zu werden in den Abgrund von den tosenden Strudeln im Gefolge jener größeren Ereignisse, denen man gewöhnlich das Adjektiv historisch beiordnet.

Wladimir Dawydowitsch Grinberg, erfuhr ich zu meiner freudigen Überraschung fast auf den Tag genau fünfzig Jahre nach unsrer mißglückten Verabredung im Wiener Café Central, gehörte trotz meiner schlimmen Befürchtungen in der unmittelbaren Nachkriegszeit zu der nicht allzu großen Schar dieser noch Überlebenden. Ich war nach Wien gekommen, um einen Vortrag zu halten, und saß in meinem Hotelzimmer, als das Telefon auf dem Nachtschränkchen läutete und eine Stimme sich meldete, deren Akzent in den entsprechenden Zellen meines Gehirns eine ferne Erinnerung wachrief, »Stjepan? Hier spricht Wolodja! Wolodja Grinberg!«

»Wolodja!« rief ich und, dies zwar ein Fauxpas, aber doch ein verständlicher, »Du lebst!«

»Ja«, sagt er, »etwas abgeschabt schon an den Ecken wie der Einband von dem Pargfrider-Buch, aber noch vorhanden. Du wirst ja auch nicht schöner geworden sein über die Jahre.«

Ich staune, daß er sofort wieder von Pargfrider redet nach so langer Zeit, und fange an ihm Fragen zu stellen, ein Durcheinander von Fragen: Wie's ihm ergangen ist inzwischen und was mit dem Buch von dem Pargfrider sei, ob er's noch habe, und warum er, Grinberg, an dem Mittwochnachmittag damals mich hat sitzenlassen im Café Central und was geworden ist aus dem Oberst Petruschkin, Sergej Nikititsch, und ob er, Grinberg, etwa in Österreich lebe oder jetzt erst aus Rußland gekommen sei, und wenn ja, wieso, und wie er herausgefunden hätte, daß ich auch in Wien bin dieser Tage und in welchem Hotel, und wann er Zeit hätte sich mit mir zu treffen, und wo, und er erregt sich und fragt zurück, weshalb ich wohl glaub, daß er mich angerufen hat, und schlägt vor, morgen, Mittwoch, wieder um drei Uhr dreißig nachmittags und wieder im Café Central; dort würde er mir Rede und Antwort stehen. Und fängt an zu husten, und sein Husten klingt mir nicht gut und ich frag ihn, ob er krank ist, und hoffentlich wäre es nichts Ernsthaftes, und er sagt, in seinem Alter ist alles ernsthaft, und in meinem wohl auch, und wie er seinem, und meinem, Gotte dankbar ist, daß der uns zusammengeführt hat noch einmal auf dieser Welt.

*

Zuerst erkannte ich ihn nicht. Ich sah nur, daß ein kleiner alter Jude, dessen zerknittertes, graues Gesicht auf einmal zu leuchten begann, mir quer durch das Café zustrebte.

»Stjepan!«

Ich stand hastig auf und eilte ihm mit ausgebreiteten Armen entgegen. »Wolodja!«

Dann spürte ich, als wir uns küßten nach alter Soldatenweise, die Feuchtigkeit unter den weißen Stoppeln auf seinen Wangen. Und log, »Du hast dich kaum verändert!«

Er gab mir das Kompliment zurück, und ich brachte ein Lachen, das glücklich klingen sollte, zustande, und ganz allmählich begannen die Furchen sich zu glätten, welche die Jahre und das Leid ihm ins Gesicht gegraben hatten, und vor meinem Blick erschien das Gesicht des Leutnants Wolodja Grinberg, der ein jugendlicher Sieger gewesen war damals und voller Witz und Selbstvertrauen.

»Wodka?« fragte ich, nachdem wir uns auf der gepolsterten Bank niedergelassen hatten, die Kreuz und Hintern verwöhnte. »Oder Scotch?«

»Weder noch. Auch die Innereien sind nicht mehr, was sie mal waren. Ich werd einen Tee nehmen, wenn du gestattest.«

»Zwei Tee«, bestellte ich, und Kipferln, die er dankbar akzeptierte. Es ging ihm wohl nicht so gut, finanziell; sein Anzug sah abgetragen aus, ordentlich gepflegt allerdings, gebürstet und gebügelt; ich wartete, daß er zu erzählen anfinge, aber er schien nicht zu wissen, wo beginnen, und wartete seinerseits auf meine erste Frage.

»Fünfzig Jahre«, sag ich endlich, »es ist wie ein Wunder.«

»Ein Wunder«, nickt er, »daß wir noch leben, beide.«

»Hast es schwer gehabt, was?«

»Anderen«, sagt er, »ging es noch schlimmer. Und du?«

»Ich hab geschrieben«, sag ich. »Da ist die einzige Gefahr der Mangel an Bewegung.«

Er lacht. »Bewegung hab ich genug gehabt. Und in frischer Luft. Beim Holzfällen in Sibirien. Dabei konnt ich noch froh sein: Zehn Jahre haben sie mir gegeben, statt Erschießen wie sie gedroht hatten, und später noch mal zehn, zum guten Ende. Aber dann hat der Chruschtschow seine Rede gehalten auf dem Zwanzigsten Parteitag, und ich war einer von denen, welche sie danach entlassen haben ohne soviel wie ein, Pardon Genosse, und es wär nur ein kleiner administrativer Unfall gewesen; und sogar das Buch von Pargfrider hab ich wiedergekriegt, meine Kusine, die Eda, hat es aufgehoben die ganze Zeit, nachdem sie mich abgeholt hatten zum Verhör in die Lubjanka, und hat mir's zurückgegeben, nachdem ich heimgekommen bin aus Sibirien, damit ich was hätt zum Verkaufen, hat sie gesagt, aber ich hab's nicht verkauft, Stjepan, weil ich es dir doch schenken wollte an jenem Nachmittag hier im Café Central, woran ich allerdings verhindert war, weil der Schuft, der Petruschkin, den ich fälschlicherweise für nichts als einen Durák gehalten hab, mir in der Früh um sechs schon an jenem Mittwoch eine Order vom Armeestab hat aushändigen lassen, *Abkommandiert in die Heimat*, und einen Propusk für den Frühzug nach Moskau, Polsterklasse, bittesehr, nicht Viehwaggon, ich sollt noch nicht wissen, was sie vorhatten mit mir.«

Sein Atem kommt um so kürzer, je stärker die Erinnerung an die Ereignisse ihn aufwühlen, von welchen er spricht, bis ihn wieder der Husten schüttelt, der ihn schon gestern am Telefon gequält hat.

»Wolodja, Lieber« – ich streichle das flächige Muster der braunen Altersflecken auf dem Rücken seiner zerbrechlichen Hand – »jetzt bist du in Wien, und wir beide haben uns wiedergetroffen im Café Central, und die Vergangenheit ist vergangen.«

Er schluckt und blickt mich an, dankbar für den Trost.

»Und was«, sag ich, »hat dich nach Wien gebracht, alter Junge? Oder lebst du etwa hier? Und wie hast du erfahren, daß ich in Wien bin?«

Er greift in seine Tasche und zieht ein Stück Zeitung heraus, auf dem zu lesen steht, daß ich nach Wien gekommen bin, um einen Vortrag zu halten, und sagt, die Stimme noch immer belegt, »War nicht schwer, dich zu finden.« Und dann: »Nein, ich leb nicht in Wien. Ich weiß, viele Juden sind weg aus Rußland und leben in Wien, aber ich will weiter, nach Israel, ich hab die Familie schon dort, was ich nebbich noch hab an Familie…« Und lacht, ein kleines, trauriges Lachen. »Und jetzt sitz ich hier und warte, bis die Jewish Agency und das Konsulat die Papiere zusammen haben und die Tickets – und auf einmal bist du wieder da, Stjepan, und das ganze Leben ist mir plötzlich vor den Augen wie ein Kinofilm, ein Bild aufs andere in rascher Folge, wie es auch ablaufen soll, hör ich, kurz bevor einer stirbt; aber ich plan noch nicht zu sterben, nicht so bald wenigstens; und ich will auch nicht begraben werden in Österreich oder gar wie der Pargfrider unter einem Obelisk, beschützt von zwei Marschällen, mich sollen sie bittschön begraben auf dem Abhang, dem steinigen, über dem Bach Kidron, welcher durch Jerusalem fließt und wo sie die Juden schon unter die Erde getan haben in biblischen Zeiten.«

»Vielleicht solltest du doch liegen bei den Helden, Wolodja«, sag ich. »Denn du bist ein Held gewesen.«

»Glaubst du?« sagt er.

»Für mich, ja, doch.«

Er schaut mich an, von der Seite, als ob er meint, ich übertreibe. Dann zieht er aus der Innentasche von seinem Mantel, den er über die Stuhllehne nahbei geworfen hat, das Buch, an dem soviel Schicksal schon gehangen – eingebunden in weiches dunkelgrünes Leder, das Spuren häufiger Handhabung aufweist, mit mattem Goldschnitt der obere Seitenrand und der Name des Autors in goldner Prägung, etwas verblasst, aber deutlich lesbar: *Gottfried Joseph Pargfrider.*

Und legt es mir hin. »Nimm es, Stjepan, mach mir die Freud.«

Ich blättere. Das Manuskript war echt, das ließ sich sofort erkennen, die Schrift aus der Zeit, Mitte des neunzehnten Jahrhunderts, die Buchstaben häufig sehr schräg; der diese Aufzeichnungen damals niedergeschrieben, war zumeist in Eile gewesen; dann gingen die Augen mir über.

»Nimm es. Und wenn du's dann liest und sogar was schreibst drüber, vielleicht, tu's im Gedenken an mich.«

Ich räuspere mich, denn mir steigt eine Rührung in die Kehle, und antworte ihm: »Du hast doch selber gesagt, du hast noch nicht vor zu sterben, Wolodja. Also verkneif dir die Sentiments.

Wir sind zwei alte Soldaten, und du hast ein Stück Beute erobert, für das ich mich interessier, und ich hab dir schon damals gesagt, auf der betrunkenen Party, daß ich's dir abkaufen würd, und das Angebot steht. Nur seinerzeit konnt ich's mir nicht anschauen, weil sie dich zum Holzfällen gebraucht haben in Sibirien, und vermutlich auch für die Karriere dieses Sergej Nikititsch Petruschkin oder irgendwelcher andrer guter Genossen. Ich erinner mich nicht genau, was ich dir geboten hab damals – Scotch, wahrscheinlich; war die beste Währung im besetzten Wien. Also verkaufst du mir's nun? – Nicht mehr für Scotch, bei dem Zustand deiner Innereien. Ich biet dir fünftausend. Nicht Rubel und nicht österreichische Schilling oder israelische Pfunde oder Schekel oder was sie gerade dort zahlen für eine Grabstatt auf dem Abhang über dem Bach Kidron. Fünftausend Dollar. Dollar, welche grün sind auf der Rückseite, ein schönes warmes Grün wie auf dem Einband von dem Manuskript von dem Pargfrider.«

Das war meine poetische Ader, die da aus mir sprach, das mit dem Grün. Ob Grinberg beeindruckt war davon oder nicht, jedenfalls sprang er nicht auf, um zu protestieren, was mich gezwungen hätte, gleichfalls laut zu werden, und schien nachzudenken.

»Schau«, fuhr ich fort, »du wirst in ein neues Land kommen, und deine Familie, was du davon noch hast, werden auch nicht sein, vermute ich, was man nennt Krösusse – also sei kein Nudnik, Wolodja, und benimm dich wie ein erwachsener Mensch, was du ja auch bist den Jahren nach. Im übrigen, wenn ich wirklich schreiben sollte über den Pargfrider, werd ich dich brauchen: dich, und nicht den Petruschkin, den Schurken, ich hoff, er krepiert unter Schmerzen – er ist schon krepiert? Geschieht ihm recht! – du warst es, der Pargfriders Schloß erobert hat und den Heldenberg samt seiner Blechgalerie und die Gruft mit dem flackernden Licht über der ganzen verrückten Theatralik, und du weißt, die ersten Eindrücke sind immer die stärksten und ich werd dich brauchen als eine Art Referent und Ko-Autor, und es wird dir noch leid tun, wenn du sitzt mit all den Juden in Israel, daß du so billig gewesen bist.«

Er hat meinen Scheck akzeptiert, der Ex-Leutnant der ruhmreichen sowjetischen Armee Wladimir Dawydowitsch Grinberg, aber mit Widerstreben, und ich hab den in Leder gebundenen Band mit den Aufzeichnungen des Joseph Pargfrider jetzt auf meinem Schreibtisch liegen und zitiere daraus.

CAPUT I

Ich, Gottfried Joseph Pargfrider, Herrschaftsbesitzer in Klein-Wetzdorf, im 73sten Jahr meines Lebens, zu dieser Stunde an meinem Schreibtisch sitzend mit Blick auf die goldfarbenen Intarsien der Holzverkleidung meiner stählernen Geldtruhe und auf die heiteren, in Öl gemalten zwei Landschaften an der Innenseite des schweren, just jetzt geöffneten Deckels, und auf die höchst intrikat gearbeiteten großen Sicherheitsschlösser, welch Truhe, zwiegeteilt, mit heutigem dato zur Linken 227 000 und einige Gulden conventioneller, will sagen, soweit voraussehbar wertbeständiger Münze enthält und zur Rechten eine Anzahl meiner Obligationen, sowie zahlbare Wechsel und Hypotheken und andere Belege von immobilem Besitz, dazu Aktien und Anteilscheine usf. an verschiedenen Unternehmen – ich, Gottfried Joseph Pargfrider also, stelle hiermit fest und gebe es mir schriftlich, daß ich recht eigentlich erreicht habe, was ich mir vor Jahren vorgenommen hatte, vor allem aber dieses: daß ich, wenn schon die mehreren kaiserlichen Majestäten, die ich erlebt, mir jeden Empfang bei Hofe versagt haben, welcher mir zumindest nach meinen Verdiensten wohl zustand, ich meinerseits S. M. Kaiser Franz Joseph nun gezwungen, sich bei mir einzufinden, auf meinem Schloß, und zwar mit großem Gefolge.

Wodurch ich mir, wie vielleicht anderen Interessierten desgleichen, den sichtbaren Beweis erbracht, daß es auch heute noch möglich ist, dem Beispiel Napoleons folgend, aus kleinsten Verhältnissen zu höchsten Ehren zu gelangen. Tatsächlich hat es ja auch, besonders unter den Hochwohlmögenden im Staate, genügend böse Zungen gegeben, die mich als Fetzentandler bespöttelt oder den Napoleon des Zwillichs genannt haben; aber es war ja nicht nur der billige Zwillich, den ich beibrachte, sondern, und in der Hauptsache, ganz excellente Leinwand in für die Monturen der Truppe passender Breite und in Quantitäten, die bei jeder politischen Krise neue Ansprüche an den Lieferanten stellten, und Lederzeug, und andere Ausrüstung, und Pferde für die Herren Offiziere, und immer pünktlich, denn Kriege lassen sich nicht verschieben, hat mir seinerzeit schon der Radetzky gesagt, wie er vom Tarock aufgestanden ist und fort ins Feld.

Und was für Verhältnisse das waren, aus denen ich stammte! Nicht mal einen Vater für mich hat meine schöne Mamma gehabt. Sie war eine Moser, und wir haben gelebt bei den Mosers in Pest, in einer Kammer, und wie ich ein Kind war, hab ich die abgelegten Hosen tragen müssen von den Moser-Buben. Trotzdem, meine Mamma hat mir immer vorgeschwärmt vom Kaiser Joseph und hat auf mich geguckt von oben bis unten mit ihren dunklen jüdischen Augen, welche einen großen Glanz gekriegt haben dabei, und hat gesagt, Der Kaiser ist ein wunderbarer Mann, so klug und so verständig und mit feinem Gefühl, weshalb ich dir auch seinen Namen gegeben hab, Joseph, und du sollst werden wie er und ihm und mir keine Schande machen, und dann hat sie mich in ihre Arme genommen und geherzt und geküßt und ich hab ihren weichen Mund gefühlt und ihre süße Brust und mir ist ganz schwach geworden in den Knien.

Dann ist sie gestorben im Jahre 1790 im Kindsbett, und wieder war da kein Vater gewesen, und hat mich allein gelassen in der Welt, und nie werd ich vergessen, wie die Wehmutter mich hereingerufen hat zu ihr, und wie meine Mamma da lag in ihrem Blute und ihr Gesicht verblichen ist ganz plötzlich, und ihr letztes Röcheln, und wie die Moser-Buben, da war sie noch nicht einmal unter der Erde, herumgetanzt sind um mich und mich verhöhnt haben, und gesagt, ich wär ja wohl der Sohn von dem Gespenst von Hamlets Vater und warum ich jetzt nicht hinginge zu ihm, aber ich hab nur geweint, denn ich hab nicht gewußt, was ein Gespenst ist und wer dieser Hamlet, und mein Onkel Moser hat mir bedeutet, ich wär nur ein nutzloser Fresser, bis er mich genommen hat als Lehrling in sein Geschäft in der Lázár-Utca und ich in der Zeit, wo andere Kinder spielen und Lesen und Schreiben und Rechnen lernen, hab arbeiten müssen als Packer und Austräger und den Laden auskehren und den Fußboden putzen und die Fenster, und hab die Semmeln und Würstel holen müssen für die Jause von dem Onkel.

Doch ich hab's ihnen heimgezahlt, der ganzen miserablen Verwandtschaft. Ich hab meine Augen und Ohren offengehalten und mir selber beigebracht, was es auf sich hat mit den Buchstaben und den Zahlen, und hab mich umgetan in dem Tuchgeschäft und gelernt über Skonto und Rabatt, und Zins und Gewinn, und dabei eine Weile sogar mit dem Onkel Moser gearbeitet als sein Kontorist und Junior; dann aber, wie der Krieg gekommen ist mit den Niederlagen und Kontributionen, und der Kaiser Napoleon zweimal eingezogen ist in Wien, und die große Geldentwertung hereingebrochen ist über Österreich und die Bankozettel über Nacht nur noch den fünften Teil wert gewesen sind von dem, was draufgedruckt gewesen ist, hab ich mich rechtzeitig, auf Kredit natürlich, eingedeckt mit Ware, und hab den Onkel sitzen lassen auf seinen Einlösungsscheinen, und mein eignes Geschäft angefangen und hab prosperiert von Anfang an, mit Gottes Hilfe, und mit Hilfe der Hof-Finanzkanzlei in Wien, welche, wie mir der Herr Direktor Goldblatt von der Pester Handels- und Sparbank unter erheblichem Zwinkern des Auges damals mitgeteilt, entsprechend dem Wunsch einer hochgestellten Persönlichkeit für meinen Kredit gutgesagt hatte, nachdem er, Goldblatt, sich auf Grund gewisser Informationen dorthin gewandt.

Ich habe mich oft gefragt, und auch mit Radetzky mehrmals darob disputiert, einmal sogar in Anwesenheit der Gräfin Fritzi, seiner geliebten Tochter, wieviel in des Menschen Leben Schicksal ist, und wieviel eigene Planung, und wieviel, sei es noch so sorgfältig geplant, trotzdem entschieden wird von anderen, höheren Kräften. Und ob nicht schon die plötzliche Eingebung, die Idee, welche zu diesem oder zu jenem Plan führte, ein Stück Fügung wäre? Der Marschall dachte nach, den Schnurrbart plusternd, den er nach seinen italienischen Siegen sich wachsen hat lassen, und sprach, »Wenn Deine Ziele redlich und den Prinzipien der Humanität entsprechend, wird die Hand Gottes Deine Pläne segnen«, und berichtete mir von der Schlacht bei Leipzig, für die er seine Pläne – den Gegner verwirren und schwächen durch getrennten Aufmarsch, dann vereinte Aktion – aus Napoleons eigenen Taktiken entnommen: zugestandenermaßen kein sehr edles Verfahren und keinem Gotte gefällig, aber entschuldigt durch den guten Zweck; denn hatte der Franzosenkaiser nicht längst schon allen Gedanken an Egalité und Fraternité entsagt und war selber zum Tyrannen und Unterdrücker ganzer Völker geworden?

Für jetzt aber zu Plänen anderer Art, konzipiert auf kürzere Sicht und befaßt mit praktischen Details; doch waren es nicht oft genug gerad solche Details, deren Mißachtung sogar die heroischsten Projekte zu Fall gebracht? Und was ist nicht alles zu bedenken für einen würdigen Empfang der höchsten Herrschaften des Reichs?

CAPUT II

Ja, was ist nicht alles zu bedenken für einen würdigen Empfang der höchsten Herrschaften des Reiches auf dem Besitz eines, den, vor zwei Wochen noch, auch nicht der Schatten eines Titels oder Ordens zierte? Soll niemand behaupten, ich hätte mir den Comtur erkauft! Es war ein Wettlauf gewesen von Edelmut zwischen dem Monarchen und obersten Ritter des Landes einerseits, einem stattlichen jungen Herrn, der weder besonders begabt noch besonders mutig, und dem seine Macht durch Geburt zugefallen und durch die Mängel seines Oheims und Vorgängers, und andererseits einem gereiften Manne, welcher sich durch seine erfolgreiche Tätigkeit in Handel und Industrie aus den Tiefen von Armut und Erniedrigung zu jenem, wenn auch bürgerlichen, Stande erhoben, wo einer von gleich zu gleich mit Ministern verhandelt und, durch diese wiederum, mit der Majestät selbst.

Erst gestern nacht war man gnädig genug gewesen, mich wissen zu lassen, daß die Kaiserin, unsere liebe Sisi, nun doch nicht der Zeremonie beiwohnen wird, obwohl sie sich bei ihrem Besuch in Venedig nicht genug tun konnte, dem greisen Retter Österreichs, wie sie ihn nannte, ihre schönsten Komplimente zu schenken zusammen mit ihrem schönsten Lächeln. Wofür dieser sich auch nichts kaufen konnte: die Schulden, die den armen Radetzky sein Leblang bedrückten, blieben. Nur die hohen Militärs werden sämtlich präsent sein diesen 19. Jänner, ein bunter und zugleich würdiger Rahmen für Majestät, und nicht wenige von ihnen werden sich höchlichst erleichtert fühlen, daß der alte Quälgeist, der jede Schwäche jedes einzelnen von ihnen kannte, sich nun endlich davongemacht. Die Stimmung wird zweifellos den Appetit der Herren Generals noch anregen, welcher normalerweise schon beträchtlich sein wird, da ihr Sonderzug in Wien schon um halb sieben Uhr früh abfahren muß, damit sie kurz nach neun spätestens und in jedem Fall vor Ankunft S.M. des Kaisers zur Stelle sein können.

Also werd ich den Nittel Ferdinand, welcher mein Schloßverwalter und jetzt zur Gänze meine rechte Hand, beauftragen, und er soll's gesondert aufschreiben und zuverlässig arrangieren: Den Herren Generals, so Seine Majestät im Schloß empfangen, ist auf Buffet ein reichliches Gabelfrühstück zu servieren. Und da S.M. mit den Herrn Erzherzögen ebenfalls wünschen werden, nach ihrer Ankunft ein kurzes Gabelfrühstück zu sich zu nehmen, und einige der hohen Militärs zur Tafel geladen werden dürften – darunter wahrscheinlich die russischen Generals –, muß im Schwarzen Saal schon vorher für 24 Personen gedeckt sein, mit unserm besten Wiener Service.

Der Nittel wird einwenden, daß unser Koch mit eitrigem Auswurf im Bett liegt und dazu den Fleischhauer und verschiedene der Dienerschaft infiziert hat. Als ob ich's nicht wüßte! – für unser Schloßpersonal, und nicht nur für dieses, ist der Herr Feldmarschall eben zur Unzeit gestorben. Es wird sich daher notwendig machen, daß mittels Eisenbahn über Stockerau ein Hofkoch einen halben Tag früher schon nach Wetzdorf abgeht und für 24 Personen Rindfleisch zur Suppe, nebst allen übrigen Fleischspeisen, und Mehlspeisen, Butter usf. mitbringt. Ich selber werd das in Wien beim Herrn Kempen veranlassen, und gleichfalls ihm mitteilen, daß zur Bedienung an der Tafel von S.M. vier Diener nötig seien, welche zusammen mit dem Hofkoch nach Wetzdorf fahren sollen. Der Kempen Freiherr von Fichtenstamm, wie sein voller Name, unser jetziger Innen- und

Polizeiminister, wird seine arrogante Braue in die Höhe ziehen; aber er ist mir verpflichtet gleich andren seines Ranges, und ich werd ihn trösten, daß wenigstens Weine der besten Provenienz in großer Auswahl vorhanden – meine eigenen nämlich, hab ich doch selber im Jahr 1833, nachdem ich das Schloß gekauft, die Reben ausgesucht in Italien und sie nach Wetzdorf mir schicken und hier anbauen lassen.

Dann muß ich dem Kempen noch avisieren, daß er den Leichenwagen, samt sechs Pferden Bespannung, rechtzeitig mittels Eilzug von Wien nach Stockerau in Bewegung setzen läßt, da dieser noch vier Stunden von dort nach Wetzdorf zu fahren haben wird. Der Sarg, werd ich anordnen, soll bei Ankunft zunächst in der Schloßkirche beigesetzt und sodann zur Gruft auf dem Heldenberg abgeführt werden, wenn S. M. die Stunde bestimmen.

Und was zum dreischwänzigen Teufel mit der Geistlichkeit? Der Geistlichkeit kann man nichts selber überlassen; in der Beziehung sind sie schlimmer und tölpelhafter noch als die Militärs. Die Geistlichkeit wird mit der Prozession vom Schloß zum Heldenberg gehen, wo die Einsegnung der Leiche vor der Grufttür erfolgt; danach wird der Sarg in die Gruft versenkt. Für den Fall, daß der Armee-Bischof die Einsegnung vornehmen und das Seelenamt abhalten sollte – dieses müssen wir vorher feststellen –, ist dafür zu sorgen, daß ihm fünf oder sechs Pfarrer aus der Umgebung assistieren; der Herr Prälat von Geras hat mich bereits wissen lassen, daß er anwesend sein wird.

Ach, Freund Radetzky! Es ist mir leid, daß ich angesichts der Größe Deines Lebens mich solchem Kleinkram widmen muß; um wieviel besser entspräche es der Stimmung meines Herzens, ich säße im Park unten, wo wir so oft lustwandelnd uns an den Statuen der griechischen Knaben ergötzt, und weinte um Dich. Statt dessen hocke ich hier, in der Hand die Feder, und brüte, wieviel Mann von Deinen Husaren wir brauchen werden zum

Auf- und Abladen Deines Sarges und zu dessen Versenkung in die Gruft, zwölf mindestens, scheint mir, und auch die müssen schon einen halben Tag vorher eintreffen, zusammen mit dem Koch und den Dienern, und dazu zwölf Mann Artillerie, um mir meine Kanonen in Stellung zu bringen und probezufeuern, aus denen hernach die einhundert Schuß ertönen werden, während der Sarg hinabgleitet in die Gruft: letzter Salut dem Freund und – nein, keiner wird diese Papiere je erblicken zu meinen Lebzeiten –, dem Freund und Logenbruder.

Planung ist ein vielseitiges Geschäft. Sie kann höchst spannend sein und voller Nervenqual – wird dies Projekt gelingen oder besser ein leicht verändertes, und was, wenn beide fehlschlügen? – oder sie mag zur Routine geraten und nichts erzeugen als Langeweile. Läßt sich doch alles planen im Leben, alles, außer dem eigenen Tode; zu dem armen Radetzky trat der Tod, der ihn so oft auf dem Schlachtfeld gestreift, als er nach einem prächtigen Souper in der Villa Reale in Mailand die Generalin Wallmoden galant zur Tür geleitete: er glitt aus auf dem glatten Parquet des eignen Hauses und brach sich die Hüfte und von da an war es ein einziges Leiden, bis der geschwächte Leib ihm den Dienst versagte. Nur der Suizid läßt sich planen; die einzig mögliche vorsätzliche Todesart, aber zugleich das Eingeständnis der größtmöglichen eigenen Niederlage. Für meine Person habe ich den Suizid ernsthaft nie in Betracht gezogen, obwohl ich mehr als einmal mich in Situationen befand, in welchen er mir als verlockender Ausweg erschien. Nichts ist ein besseres Vademecum gegen den Gedanken des Selbstmords als ein paar tausend Gulden conventioneller Münze im Reisesack.

Wann also habe ich begonnen zu planen? Als ich, ein strebsamer Knabe noch, mir meine Freunde suchte nach ihren Kenntnissen? Als ich den ersten Kredit empfing und mich fragte, ob das Augenzwinkern des Herrn Direktor Goldblatt nur ein nervöser Reiz gewesen oder doch wohl tieferes Nachdenken erforderte und kluge Interpretation? Ein junger Bursche, Pargfrider geheißen, der nicht einmal wußte, von welchem Vater sein Vatersname – wie kam er zu solcher Protektion? Und welches Gewicht war den schwärmerischen Reden meiner seligen Mamma zuzuweisen, die im Gedächtnis des Kindes geblieben, über den Kaiser Joseph?

Zumindest, dachte ich, wär's nützlich, ich widersprech nicht, wenn ich konfrontiert werd mit Gezischel und Gewisper der Art. War nicht auch unser Herr Jesus ein natürlicher Sohn gewesen seiner jüdischen Mamma und hatte, als es darum ging, einen Vater zu benennen, gleich nach dem höchsten verfügbaren Namen gegriffen? Warum ich also nicht nach dem eines österreichischen Kaisers? Und wer war da, das Gegenteil zu beweisen in einer Welt der Skandale und Gerüchte, solang die Termine stimmten, an denen besagter Kaiser auf Reisen gewesen und sich umtat unter den Töchtern des Landes, speziell in Buda und Pest?

Zurück zu den Plänen an Hand: der Nittel Ferdinand ist zu instruieren, daß er mir auch die Musikbande, die wir aus Stockerau heranholen werden, und die Husaren, welche den Sarg in die Gruft placieren sollen, und meine Kanoniere zur Genüge verköstigt.

CAPUT III

Ich bin ein Mensch voller Widersprüche. Der Einsle hat mir das seinerzeit schon gesagt, wie er mich malte, und mir dabei in die Augen geblickt, als könnt er sich einbohren in meine Seele. Er hat das Doppelte an Zeit verwenden müssen auf mein Bild als er sonst braucht für seine Portraits, hat er gesagt, dreimal hat er es abgebrochen und dreimal von neuem begonnen, und zum Schluß hab ich ihm 5000 gezahlt statt der 1000, die er ursprünglich verlangt, und manchmal – auch jetzt wieder –, steh ich davor und versuch, hinter die Stirn des Mannes auf dem Bild zu schauen in sein inneres Wesen, und das Lächeln zu ergründen, welches Einsle ihm gegeben – ich werd's ihm ja wohl gezeigt haben beim Malen – und nun, von der Leinwand her, verfolgen mich meine eignen Augen, er konnt solche Augen malen wie nur die Größten es können, der Einsle, Augen, die einen von rechts her und von links her verfolgen beim Betrachten, ganz gleich, wo du stehst.

Widersprüche: Da ist der Widerspruch zwischen den Leidenschaften, die mich beherrscht haben von Jugend an, und der Planung, die ich gezwungen war zu betreiben um dieser Leidenschaften willen, und Planung erfordert Berechnung, und jede Berechnung bedingt, daß einer versteht, die Leidenschaften in seinem Herzen zu zügeln. Der griechische Philosoph Platon hat einmal geschrieben:

Gewaltig ist der Antrieb der Männer,
In Erinnerung zu bleiben,
Und sich einen unsterblichen Namen
Auf ewige Zeiten zu erwerben...

Der Name der einen wird unsterblich durch die Gaben, die ihnen ein Gott in die Wiege legte, der anderen durch die Gelegenheiten, die ihnen der Zufall zugespielt und welche sie klug genug waren, zu nutzen. Die dritten aber, zu welchen ich mich rechne, müssen durch eigene Anstrengung, eigenen Schweiß, eigene List, das gottgegebene Genie ersetzen und sich ihre Gelegenheiten selber beschaffen, um die so sehr gewünschte Unsterblichkeit zu erringen.

Mein Freund Radetzky war einer von den Glücklichen. Wie bei Mozart, bei dem sich jeder Eindruck, jede Regung, in die entzückendste Musik verwandelte, fügte sich in seinem Hirn alles zu den richtigen Strategien, militärisch wie politisch, so daß er sich wohl messen konnte mit seinem großen Gegner Napoleon, welcher das gleiche Talent besaß und welchen ich gleichfalls verehrt hab, zu früherer Zeit noch als den Feldmarschall.

Denn hier war einer, der, für mich beispielhaft, aus dem Nichts aufgestiegen war zur Spitze Europas, und der sein Land und seine Ideen zum Siege geführt über die ganze alte verrottete Welt, und dies alles ohne Förderung seitens Mächtigerer als er, einzig und allein durch eigene Kraft und eigenen Willen und Geist. Nun ließe sich einwenden, daß damals andere Regeln galten – eine Revolution erschütterte Land und Menschen –, und daß selbst ein Napoleon ohne die Revolution nichts hätte erreichen können, ja, so recht ein Produkt dieser Revolution gewesen sei, wie Danton und wie Robespierre, nur daß er mehr Fortune gehabt als jene und so seinen Kopf auf den Schultern behielt, und, selber ein Militär, die einmal errungene Macht auch militärisch zu verteidigen wußte; während Radetzky, nach dem Motto der doch nicht allzu gewitzten und auf dem Gebiet der Geschichte sicher nicht allzu bewanderten Sisi der Retter Österreichs, zugleich der Erhalter und Bewahrer des ganzen alten Plunders war, Schwert und Schild des elenden Metternich und selten nur der Erneuerer, als deren einen er sich selber sah.

Aber wer war ich dann, der, obwohl im tiefsten Inneren der Revolution zugeneigt und heimlich jubelnd bei jedem Einzug im Wien des Kaisers Napoleon, meinem Freunde Radetzky die Leinwand lieferte für die Monturen seiner Truppen und oft genug auch die Stiefel, in welchen diese marschierten, um die Carbonari zu schlagen in Italien und den Kommunisten Europas ihr *Halt!* entgegenzudonnern? Ein Profiteur, der Gulden auf Gulden häuft als silberne Stufen zum Aufstieg nach oben? Was ist mir Österreich? Was ist mir der ganze zusammengeraubte, zusammengeheiratete Fleckerlteppich mitsamt seinem Herrscherhaus? Obwohl's mir Herzenssache sein sollte, dieses Österreich, falls es eine Stimme des Blutes gibt und diese in meinem Falle auf mehr beruhen sollte als auf Schimäre und Gerücht, welch beide ich selber geschickt unterstützt hab und ausgebeutet? Ist denn mein ganzer großer Heldenberg denkmalgewordene Heuchelei, ist mir denn gar nichts heilig? Und wäre S. M. im Recht, und klug beraten – und die vor ihm auf dem Throne gesessen, gleicherweise –, wenn sie allesamt mir den Zutritt verweigerten zum Hofe und ihre kaiserliche Hand und Gnade?

Welch Kluft in meiner Seele! Und seit dem Neujahrstag dieses Jahres, 1858, für immer vorbei die Stunden, da ich mir Stärkung und Rat noch holen konnte von der Altersweisheit Radetzkys, der in ganz ähnlichem Zwiespalt wie ich gestanden, wenn er, in Mailand und Venedig, die Todesurteile unterfertigte gegen die Verfechter von Revolution und nationaler Erhebung, obwohl er, zumindest mir und dem Marschall Wimpffen ge-

44

genüber, nie ein Hehl gemacht von seinem Verständnis für die Bestrebungen der von ihm Verdammten und Abgeurteilten. Seien diese Bestrebungen doch, sagte er mir einmal bei meinem Besuch in Verona, von ganz ähnlicher Natur wie die Prinzipien, welche zu vertreten auch er und ich verpflichtet wären zufolge den Bestrebungen und Gesetzen der Loge; und vertraute mir an, wenn er, wie er's mehrmals getan, den Prozessen beigewohnt wegen Aufruhrs und Hochverrat und die Beklagten in ihrem Schlußwort sprachen vom Wohle der Menschheit und des Vaterlandes, von Gleichheit, Edelmut und innerer Harmonie, sei's ihm gewesen, als hätte er ein Echo gehört von unsern eignen Gedanken und Gesprächen, und er habe sich gefragt, ob der Metternich, der verzopfte, nicht doch nur konsequent gehandelt von seinem Standpunkt, wenn er Freimaurerei und Jakobinertum zornig in einen Topf warf und alles derartige in den Kronländern strikte verbot. Und strich sich den Schnurrbart mit feinem Lächeln, mein Freund Radetzky.

Nein, ich glaube nicht, daß Majestät es bemerken werden oder wer sonst noch herabsteigen wird in meine Gruft: die Zeichen und Insignia der Brüderschaft, Zirkel, Kelle, sechseckigen Stern und hinter der Tür die verschränkten Hände, und den geheimen Sinn der Sprüche erkennen, welch sämtlich ich schon hab anbringen lassen auf der Bronze und dem Eisen im Innern des Obelisken vom Schlossermeister Prüll aus Wien, als wir Freund Wimpffen da gebettet haben zur ewigen Ruh; noch wird der Kaiser überhaupt Augen haben für derlei in seinem Ärger, daß er sich hierher hat begeben müssen auf meinen Heldenberg, statt seinen tapferen Marschall – wann war Radetzky je wirklich der *seine*? – großmütig placieren zu können als geduldeten Gast in die Kapuzinergruft zu Wien, Begräbnisstätte nach Brauch und Sitte exklusiv der Habsburgischen Familie.

Also war's doch wohl weise und hat sich gelohnt, die ganze Müh und Arbeit, und das Geld, seit ich die erste Schaufelvoll

Dreck und Gestein hab ausheben lassen für den Heldenberg und die Bewohner der Hütten, die dort gestanden, hab verpflanzen lassen in solidere Behausungen anderenorts. Was red ich: seit ich das erste Mal dem verehrten Mann unter die Augen getreten, anno 1821, in Ofen, und er mich liebreich bei der Hand nahm und mir erklärte, daß er die Pferde, die ich ihm angeboten, so prachtvoll sie auch seien, sich leider nicht leisten könne; er sei verschuldet schon von Jugend an bis über beide Ohren und hätt auch, selbst als Stabschef beim Erzherzog Ferdinand, keine Chance, je herauszukommen unter diesem Berg und möchte nicht in meiner Schuld stehen; was blieb mir, als ihm zu sagen, nehmen's die Gäule, Excellenz, ich bin ein reicher Mann geworden durch Ihre Siege und ich steh in Ihrer Schuld. Und ein wenig später haben er und der Wimpffen mich dann eingeführt in die Loge Zur Großmuth, denn in Ungarn gab's noch Logen, Ungarn war ein eignes Königreich, und da durfte der Kaiser nicht gebieten und verbieten wie anderswo in seinen Landen.

Widersprüche – soeben ist die Anna Liane herinnen gewesen mit einem Kaffee und hat gestanden und gewartet und auf ihr Bild geschaut, mit der Harfe, das an der anderen Wand hängt und das ich hab malen lassen von dem Maler Carot, wie sie noch jünger war und noch schöner – schön ist sie auch jetzt noch, bei Gott, und reizvoll und wünschenswert –, und schließlich hat sie gesagt, »Was schreibst du und schreibst«, und ich hab gesagt, »Es wird schon seinen Sinn und Zweck haben«, und sie hat sich umgedreht und ist fortgegangen. Sie tut mir leid, wenn ich sie meine Distanz spüren lass dann und wann; ich hab sie doch geliebt damals, glaub ich, und lieb sie möglicherweise noch, auf meine Art, und sie hat alles aufgegeben für mich, ihre italienische Heimat und ihre italienische Familie, und hat mir einen Sohn geboren ohne ehelichen Segen und ohne mein Jawort vor dem Altar ihrer Kirche, obwohl sie's ernsthaft hat mit der hl. Jungfrau und dem Herzjesulein, und ich frag mich, wartet sie immer noch, daß ich sie vielleicht heiraten werd; aber ich laß mich nicht binden, auch von ihr nicht, Frauen sind schlimmer als Ketten, sie verhindern, daß einer über sich hinauswächst.

CAPUT IV

Die Grunderfahrung meines Lebens: Es gibt nichts, was man für Geld nicht kaufen kann.

Die Erkenntnis ist bedrückend. Was ist von den großen Ideen geblieben, mit denen dieses Jahrhundert antrat, was aus dem Menschheitswohl, das es zu bringen versprach? Meine Geldtruhe samt Inhalt, die Möbel im Stil jener Zeit, mit denen ich Schloß Wetzdorf ausgestattet, ein paar Schlachtengemälde in meinem Napoleonzimmer, eine Sammlung von Stichen, 163 Stück, verfertigt von einem gewissen Charles Motte über das Leben und die heroischen Taten des Revolutionsgenerals und späteren Kaisers der Franzosen, welche ich hab rahmen und hängen lassen im Korridor des Obergeschosses zu meiner Erbauung und zur Ermahnung, daß, wenn einer schon mit dem Strom zu schwimmen gezwungen ist nach dem Ende der großen Hoffnungen, er wenigstens danach strebe, vornweg zu schwimmen?

Und was wird bleiben von mir, der ich mich nur in den niederen Ebenen des Jahrhunderts getummelt, wenn ich mir nicht selber ein Denkmal setz in einem würdigen Rahmen? Bin ich denn nicht auch Teil der Geschichte, so hab ich mir überlegt, und Geschichte besteht aus den Taten von Menschen, und Menschen lassen sich darstellen, in Stein, wie die alten Griechen und Römer sie abbildeten, oder in Zink, Eisen und Bronze, wie wir es heut können, und so will ich ein bleibendes Monument errichten denen, die wahrhaft Geschichte gemacht, den Helden des Geistes, und zugleich mir selber, der solch ein Monument ersann und erbaute, und es finanziert haben wird aus eigener Tasche: einen Künstlerhain, unter schattigem Grün die Büsten von Shakespeare etwa, von Galilei, Copernikus, Newton, von Mozart und Haydn, und Goethe, Schiller, Leibniz, von Raphael und Rubens, Cicero und Lykurgus und mehreren noch, je nach den Ausmaßen, die ich dem Hain geben werde, und inmitten des Ganzen meine persönliche Gruft, vielleicht mit einer hohen Säule darauf oder einem Obelisken, unter welchem ich dann mich selber werd einsargen lassen.

Welch besseren Nutzen könnt ich auch haben von dem Land, das zu Schloß und Herrschaft Wetzdorf gehörig, welche ich mir gekauft hab ohne groß zu handeln von dem Amtmann von Znajm, dem Herrn Csikann für 90 000 Gulden Münze? Ich hab angeordnet, Obstbäume darauf zu pflanzen und Wein, und anderes noch, und den Park anzulegen ums Schloß, und hab das Schloß restaurieren lassen von innen und von außen für noch einmal 40 000, alles gut und schön; aber auf der Anhöhe hinter dem Schloß, so hab ich mir überlegt, wo nichts ist als steinige Krume und Krüppelholz, aber eine herzerfreuende Aussicht über Täler und Wälder und Äcker, werd ich ein Plateau aufschütten lassen von den Anwohnern der Dörfer ringsum – ein wahrhaft faustisches Gewimmel, wobei die Leut sich einen begrenzten Wohlstand schaffen können auf meine Kosten –, und werd dann mein Denkmal darauf errichten, als ein großes Ensemble, wie's die Franzosen nennen würden.

Die eigne Gruft, wenn ich's recht bedenk, war der Keim der Idee. Wer spricht da von Totenkult! Ich kann nichts Widernatürliches finden an dem Projekt; ich hab mit dem Tod gelebt seit frühester Jugend, dem Tod meiner Mutter zuerst und dann meinem eignen, ich war ein kränkliches Kind und hab jahrelang Blut gespuckt, auch später noch, und bin mehrmals geplagt gewesen von der Cholera und weiteren schweren Erkrankungen, und es ist ein Wunder, das Gott an mir getan und die Pflege, welche die mehreren Frauen, die ich gehabt hab in meinem Leben, mir angedeihen ließen, wenn ich trotz meiner Schwächen und Gebresten imstand war, ein so anstrengendes Geschäft zu betreiben wie meines und halb Europa zu bereisen von Petersburg bis London und Paris – mit der Eisenbahn ist's dann leichter geworden, ich fahre gern mit der Eisenbahn, sie ist, wie auch die zahlreichen andern neuen Erfindungen, ein Segen, besonders für Menschen meiner Sorte, die modern und fortschrittlich denken.

Also hab ich bei der Bezirksbehörde in Stockerau den Bau eines Grabgewölbes beantragt auf meinem eignen Land, und man hat mich blöd angeschaut und gesagt, ob's denn nicht genug schöne Friedhöfe gäb im Bezirk, wo ich mich heimisch fühlen könnt, und wie ich gesagt hab, ich wollt aber auf meinem eigenen Grund und Boden verscharrt werden und nicht dem der Kirche, und mit einer Spende gewinkt hab für das Bezirksarmenheim, hat man gesagt, ja, bittschön, doch müßt die Gruft, auch wenn's meine persönliche wär, trotzdem eingesegnet werden von der Kirche und im übrigen, nach Vorschrift und Gesetz, als Minimum 6000 Klafter entfernt sein von der nächsten menschlichen Behausung – das ist sie ja nun auch –, ich hab aber trotzdem die 6000 Klafter Distanz, welche die k. und k. Federfuchser verlangten, und die kirchliche Einsegnung als reine Schikane empfunden, denn immer hat man mich schikaniert behördlicherseits, trotz meiner Freundschaft zu mehreren Erzherzögen und zu den Feldmarschällen Wimpffen und Radetzky und meiner anerkannten Leistungen für den Ärar und meiner reichlichen Wohltaten für die Bevölkerung – welch Grundherr in dieser Gegend außer mir hat je seinen Bauern die Pachtzahlungen erlassen, die sie drückten! – und ich vermute, die Herren Federfuchser tun mir, wo sie nur können, ihren Tort an, weil sie spüren, daß ich ein Jud bin, und daß ich gescheiter bin als sie und ihre ganze Truppe.

Und jetzt, zwölf Jahre und ein paar Kriege später, ist diese meine Gruft, mit dem Obelisken darüber, auf dessen Spitze der beschwingte Todesengel schwebt von dem Bildhauer Adam Rammelmayer, der Mittel- und Sicht- und Herzpunkt der ganzen Anlage, die ich Heldenberg genannt und die aus dem Künstlerhain gewachsen ist durch Hinzufügung der aufgereihten Büsten der Kriegshelden und großen Heerführer Österreichs, und ditto seiner Herrscher, und glatt asphaltierte Alleen führen hindurch in mehreren Richtungen – der Asphalt ist gleichfalls eine der neuen Erfindungen, für die ich mich interessiert hab, und ich hab ihn eingeführt hierzulande –, und die Gruft ist auch nicht länger nur exklusiv für meine Person; mein Mitbruder Wimpffen liegt schon darin, aufgebahrt in seinem Feldmarschallsrock und bereit zur Begrüßung unsres Bruders Radetzky, und zusammen werden die zwei Feldmarschälle dann mich erwarten in näherer oder fernerer Zukunft; unklar ist nur, wer dann wessen Schlaf bewachen wird, ich ihren, oder sie den meinen; zum Tarock jedenfalls genügen drei gute Männer.

Wir haben häufig Tarock zusammen gespielt, der Wimpffen, der Radetzky, und ich, und uns danach unterhalten mit den Damen aus Wien, die in den drei Jungfernzimmern genächtigt haben im rückwärtigen Teil des Schlosses. Ich erinner mich deutlich an eine Partie in meinem Salon; da war noch Frieden in Österreich, und keiner hat gedacht an Verwicklungen in den italienischen Provinzen; nur Radetzky, der eine politische Nase gehabt und gesehen hat, daß immer weniger Damen der italienischen Gesellschaft sich haben blicken lassen wollen neben den österreichischen Offizieren in der Mailänder Oper, Radetzky hat uns erzählt, wie er versucht, seine Pioniere aufs modernste auszubilden und seine Artillerie zu rüsten für die Verteidigung einer möglichen Retraite am Hang der Alpen. Dem Wimpffen ist das Tarockspielen schwergefallen, eine Kugel hat ihm das rechte Schultergelenk zerschmettert in einem Gefecht in den

Franzosenkriegen seinerzeit, der Arm ist ihm gelähmt geblieben, und auch die Hand war verletzt, und er hat nur die Linke gehabt zum Halten der Karten und zum Ausspielen und Stechen, aber er hat's trotzdem geliebt, das Tarock, und an dem Abend hat das Glück ihm zweimal die Trull beschert, mit Sküs und Mond und Pagat, und einmal hatte Radetzky die Trull, und ich hab verloren alle drei Male und hab zahlen müssen, aber ich hab immer gezahlt für die beiden, und mit freundlicher Hand, und ihnen seit Jahren schon Geld geliehen ohne zu geizen; sie waren arme Kerle, zu großzügig für ihre Generalsgage; und der Radetzky hatte zwölf Kinder, acht von seiner Franziska, geborene Gräfin Strassoldo, welche ihn als siebzehnjährige geheiratet, und vier von einer italienischen Wäscherin, und sowieso hat die junge Gräfin nicht gewußt, wie man mit Geld umgeht und hat zu den Schulden ihres Mannes noch die eignen hinzugefügt.

Also haben wir da gesessen und gespielt, und mein Diener, der Prokosch, hat uns von dem Wein gebracht, dem guten alten ungarischen, den Radetzky so sehr gemocht hat, und haben geredet von meiner Gruft, und von dem Zimmermeister Hauzwickl und den Maurern, welche daran gearbeitet haben, als wir am Nachmittag zu dritt hinaufspazierten auf die Anhöhe, und Wimpffen hat gesagt, wie er seinen Pagat ausgespielt hat zum Schluß und dadurch die Punkte verdoppelt, die Aussicht von da oben tät ihm schon gefallen, aber die Toten hätten ja leider eine andre Perspektive, nämlich von unten, und Radetzky hat gesagt, am liebsten würd er begraben werden unter seinen Soldaten.

Große Entschlüsse, wie der zum Bau meines Heldenbergs, müssen reifen, und die Umstände müssen sie bedingen. Die Umstände, im Achtundvierziger Jahr: die Aufständischen haben Radetzky herausgedrängt aus Mailand nach fünf Tagen erbitterten Straßenkampfs und er hat sich zurückziehen müssen in seine Retraite und hat sich in die oberitalienischen Festungen geworfen mit den Resten seiner Armee – den Resten, denn was er an Ita-

lienern hatte unter seinen Fahnen, war längst desertiert, und die
Herren vom Hofkriegsrat hatten es, trotz seiner Warnungen,
wieder einmal versäumt, dem alten Trottel, wie sie ihn damals
schon nannten, Verstärkungen und alles sonst zu einem Vertei-
digungskrieg Nötige zukommen zu lassen.

»Pargfrider!« hör ich noch seine freudige Überraschung, wie
er mich da erblickt, verstaubt und durchgerüttelt, vor seinem
Feldschreibtisch in Verona. »Sie sind mir von Gott gesandt, und
offenbar stehn Sie unter Gottes besondrem Schutze; die Ku-
riere, die ich ausschick nach Wien, gehn mir zur Hälfte verloren,
und bei denen aus Wien wird's wohl ähnlich sein.«

»Von der Freiheit, der glorreichen«, sag ich, und schüttle ihm
seine Hand, »ist's nur ein kurzer Schritt hin zur Anarchie, auf
Post und Bahn sowieso, und jedes zweite Gasthaus ist eine Räu-
berhöhle; ich bin nur froh, daß ich die Gräfin Wenckheim hab
abhalten können, mit mir zu reisen; mein Vater braucht mich,
hat sie mir gesagt, und ich hab ihr erwidert, aber er braucht Sie
lebendig; für mich allein war die Reise weniger gefährlich, ich
hab mich durchschleusen lassen von Geschäftsfreund zu Geschäftsfreund, israelitischen meistens, in der einen Hand die
Reisetasche, in der andern meinen Kreditbrief, so bewegt man
sich am sichersten in Zeiten wie diesen.«

»Sie finden mich, lieber Freund«, sagt mir Radetzky und
wischt sich seine entzündeten Augen, »in einer prekären Lage.
Ich hab geschworen vor meinen Offizieren, und vor dem Bür-
germeister von Mailand, daß wir zurückkehren werden in die
Stadt, und bald. Aber meine Armee hat nix zu fressen, und ein
Soldat, der nix zu fressen hat, kann auch keine Courage haben.
Von daheim ist kein Nachschub gewesen, und kein Geld – ich
hab dem General Mangel weichen müssen, dem keiner, auch der
beste nicht, widersteht. Nur ein Trost ist mir geblieben: Wien,
nicht Italien, hat mich besiegt.« Und dann hat er auf den Tisch
geschlagen mit der flachen Hand und hat gesagt, wenn einer ihm

helfen könnt, dann ich, und ich müßt, wie ich geh und steh, in meinem zerknitterten Rock, sein Quartiermeister werden; den Generalshut mit dem grünen Federbusch würd er bei späterer Gelegenheit mir schon aufsetzen; wohl wüßte er, daß ich mein Geschäft längst schon aufgegeben und jetzt in der Hauptsach privatisier, doch tät nicht auch er seine Pflicht noch trotz seiner lahmen Knochen nun schon für seinen fünften Kaiser, und was für ein Streich wäre das, wenn wir zwei alte Narren den Spieß umkehrten und am Ende triumphierten über all unsere Widersacher, ob bourgeois oder fürstlich?

Und ich hab ihm gesagt, er soll mir auf ein Stück Papier schreiben, was er braucht, und wieviel von jedem; das Leben hätt mir gezeigt, daß es nichts gibt, was man für Geld nicht kaufen kann, und wie man eine Armee fouragiert und equipiert, das hätt ich ja nun gelernt; und er hat gefragt, wer soll das bezahlen; und ich hab gesagt, ich. Und dann bin ich gefahren, allein und ohne jegliche militärische Bedeckung, von Geschäftsfreund zu Geschäftsfreund, wiederum israelitischen in der Mehrheit, und zusammen haben wir mit dem gesprochen und mit jenem, und haben ein Netz von Aufkäufern geflochten und von Transporteuren wie zu der Zeit, als ich Leinen beschafft hab und Zwilch und andere Güter in Ungarn und Böhmen und sie geliefert an die k.u.k. Monturkommissionen in Ofen und in Stockerau, nur damals auf Rechnung des Ärars, und hier in Italien nun, für meinen persönlichen Freund Radetzky, auf meine eigene; aber präsentiert hab ich die Rechnung dann doch, nachdem er, mit meiner gütigen Hilfe, die Carbonari und den König Carl Albert von Piemont und Sardinien geschlagen hatte bei Custozza und sie im Jahr darauf noch einmal besiegt; und die Herren vom Hofkriegsrat haben sich endlich bequemt zu zahlen, zähneknirschend, und mit Zins – S. M. der junge Kaiser Franz Joseph hat keinen Skandal gewollt mit Radetzky oder auch mit mir, selbst wenn's ihn gewurmt hat –, aber wie dann der Kaiser nichts gehabt hat für den Retter Österreichs außer ein paar schönen kaiserlichen Worten und dessen Bestätigung als Gouverneur in Mailand, was Radetzky vorher schon gewesen, und ihm nicht mal die Schulden gezahlt hat, die der Arme aufgehäuft vor der Kampagne und während dieser, und der Reichstag, das armselige Relikt einer verhunzten Ständeversammlung, ihm seine Verdienste absprach und einige gar Vorwürfe erhoben gegen ihn, er hätt die Freiheit unterdrückt, die italienische nämlich, obwohl die Herrn eher gegen Windischgrätz hätten protestieren sollen, nachdem dieser die Revolution in Wien zusammenkartätscht, da hab ich gedacht, jetzt, wenn je, ist's die Zeit, und ich, wenn irgendeiner, werd Radetzky und den wahrhaft verdienstvollen Männern der Armee, bis hinab zum geringsten Grenadier, die Ehre zollen, die ihnen zukommt, und werd sehen, daß die Idee von dem großen historischen Denkmal, größer noch als der ursprüngliche Künstlerhain, zur Wirklichkeit wird, und hab das Geld genommen, welches der Hofkriegsrat mir endlich hat überweisen lassen, eine gute halbe Million, und hab's investiert in den Heldenberg als eine Art ausgleichender Gerechtigkeit.

CAPUT V

Die Gruft also war, nach meinem Gedächtnis, der Keim der Idee, aus welcher sodann das ganze Ensemble erwuchs, dem ich den Namen Heldenberg gab – für die einen, die Neider, die Marotte eines Parvenus, der nicht wußte, wohin mit seinem errafften Gelde, für die andern, vor deren Naiveté und beschränktem Gemüt uns Gott bewahr, das Herzensanliegen eines österreichischen Patrioten. Aber vor der Idee hat schon dasein müssen, fertig entwickelt und ausgestattet mit den zu ihrer Verwirklichung notwendigen Kräften und Möglichkeiten, der Mann Joseph Pargfrider, Sohn des – ja, wessen?

Und was weiß ich denn, oder irgendein anderer, über den Mann Pargfrider? Es hat lang genug gedauert, bis ich erfahren hab, woher der Name gekommen sein könnte, den ich trage und den ich bekannt gemacht hab bis zu den Grenzen der doppelten Monarchie und über deren Grenzen hinaus. Wie mein Onkel Moser gestorben ist, hat er von seinen drei Söhnen den einzigen zu mir geschickt, der etwas getaugt hat, meinen Cousin Alberich, mit einem Briefchen geschrieben von zitternder Hand, in welchem stand, daß der Packen Papiere, den der Alberich mir hiermit übergäbe, der gesamte Nachlaß sei meiner seligen Mamma, und daß ich diesen längst hätte haben sollen, und er, der Onkel, bäte mich um Vergebung auf seinem Sterbebett für die Verzögerung, aber ich wüßte ja, wie die Dinge gestanden hätten zwischen seinem Teil der Familie und mir, und im übrigen hätte sich von Geldeswert sowieso nichts in dem Packen befunden. Vielleicht hatten der Onkel und seine herrlichen Söhne das Ringlein oder zwei, die meiner Mutter gehört haben mochten, oder ihr Kettchen, vor Jahren schon zur Pfandleihe getragen, oder es war wirklich nichts dagewesen von Geldeswert bei meiner Mutter Tode, und was ich jetzt erhielt, waren eben nur letzte Zeichen und Zeugnisse des Lebens einer Frau, welches voll Leid und Unglück gewesen, Zeichen und Zeugnisse, die mich ganz sonderbar anrührten: darunter ein paar Liebesbriefe an sie, nicht mit Namen gezeichnet, sondern nur *Dein Liebster*, oder auch *Schatzerle*, und von einer Hand, der man ansah, daß sie im Schreiben geübt, sowie ein alter Theaterzettel vom Theater an der Burg in Wien, welches der Kaiser Joseph zu dem gemacht hat, was es heut ist.

Der Kaiser wär auch fast ein Bruder geworden in der Loge Au Trois Canons – das weiß ich vom Feldmarschall Wimpffen –, hat aber am Ende der Freimaurerei entsagt auf die ernsthaften Vorstellungen seines Beichtvaters hin; doch seine Liebe für die dramatischen Künste hat er sich nicht nehmen lassen und hat aus mehreren fahrenden Schauspieltruppen sich die Acteurs und Actricen herausgesucht, die er für würdig hielt, an einem reputierlichen Hoftheater zu spielen, und hat dann die ganze lose Gesellschaft in den k. und k. Beamtenstand erhoben und, wenn er selbst schon kein Maurer geworden, sein Theater zu einem veritablen Nest von solchen werden lassen; und so wird wohl auch der Manfred Pargfrider auf dem Theaterzettel im Nachlaß meiner Mutter, der da aufgeführt ist als »Gespenst von Hamlets Vater«, einer gewesen sein. Aber hat besagter Pargfrider mich nun, nach einer Hamlet-Aufführung etwa, in einer Liebesnacht mit ihr gezeugt, und wie und wo und unter welchen Umständen sind beide einander zuerst begegnet, und wie verlief ihr Roman und wie hat er geendet, oder war da nichts weiter als der Handel mit dem Namen Pargfrider, mit welchem der Darsteller des Gespensts den armen Bastard ausstattete, den meine

Mamma in die Welt gesetzt, nachdem er als Freimaurer auf jeden Fall zu Hilfsbereitschaft und Wohltun verpflichtet gewesen und ganz besonders S. M. gegenüber, dem Förderer seines Theaters?

Mir jedenfalls war, sobald ich denken konnte, klar, daß ich auf keinen väterlichen Protektor würde rechnen können, und daß ich auf eigenen Füßen zu stehen und zu gehen haben würde und alles mir Erreichbare aus eigener Kraft erreichen müßte, durch eigenen Fleiß und eigene Tüchtigkeit und Selbstbeschränkung. Und zu erreichen war mancherlei. Nachdem ich mir das Lesen beigebracht und meine ersten Kreuzer verdient, machte ich mich davon aus des Onkels Geschäft, sooft ich mich unbeobachtet glaubte, und schlüpfte ins nächste Kaffeehaus und las, was dort greifbar war an Zeitungen und Flugblättern, und trieb mich herum an den Tischen der Studenten und Professoren, der Kommis und Handlungsreisenden und Schreiber und Agenten, und sogar gelegentlicher Lieutenants und Sergeanten, und erfuhr von diesen, daß da ein neuer Geist sich rührte in der Welt, und jeder des eignen Glücks Schmied werden könnte, und daß, wie in Frankreich das Unterste zuoberst gekehrt worden war, dies auch hier noch geschehen könnte in Wien und in Pest und die Herren vom Adel und die Hochwohlmögenden überall schon leiser sprächen als vorher und ihre Menschlichkeit auffällig hervorkehrten, und daß nach den Schlägen, welche der Kaiser Napoleon dem Kaiser Franz versetzt, ein neues Reglement in Kraft treten sollte nun auch in Österreich für die Schläge, mit welchen die Lieutenants und Sergeanten ihre Soldaten bis dahin traktierten.

Vor allem aber forschte ich nach einer Erklärung für meine Beobachtung, daß, was mein Onkel für dreißig kaufte vom Grossisten und dieser für zehn vom Weber, er über den Tisch seines Ladens für hundert verkaufen konnte an den Kunden. Erst dachte ich, dies sei sein Lohn dafür, daß er mit Versprechungen aller Art den Kunden erst in den Laden lockte und dann so verführerisch zu ihm sprach über Qualität und Schönheit des Stoffes und diesen ausbreitete über des Kunden Schulter und derlei mehr, aber dann sah ich, daß er die hundert auch verlangte, und erhielt, wenn der Kunde von selbst durch die Tür getreten war und der Onkel nichts weiter tat als mir zu befehlen, ich sollte das Stück verpacken. Offenbar, sagte ich, vermehrte sich das Geld auf dem Umweg über die Ware, und der Onkel sagte, das sei nun einmal der Markt, und man nahm, was der Markt trug, und dieser Ertrag, auch Gewinn geheißen oder Profit, sei der Lohn für das Risiko des Ladenbesitzers, denn zunächst stecke doch sein, des Onkels, Kapital in der Ware, und das Schlimme sei nur die Konkurrenz, die durch niedrigere Preise dem redlichen Kaufmann die Kundschaft zu stehlen suchte.

So kompliziert erschien mir das ganze System jedoch gar nicht, und während die Söhne meines Onkels, meine Cousins, zu träge waren, sich zu rühren, unternahm ich hier und da einen kleinen Handel auf eigenes Konto, das ich mir eingerichtet bei der Pester Handels- und Sparbank, und sah mit größter Genugtuung, daß der Markt auch mir seinen Ertrag brachte und mein geringes Erspartes sich erfreulich zu vermehren begann, und meinte, daß, wenn man direkt zum Weber ginge aufs Dorf, man nicht nur den eignen Profit noch vergrößern, sondern auch Einfluß nehmen könnte auf Art, Quantität und Herstellungspreis der Ware, und daß, wenn man nicht im Laden saß auf seinem Hintern und wartete, bis ein Kunde sich meldete, sondern den Kunden suchte und für des Kunden Bedürfnisse arbeiten ließ, man den Markt überlisten und seine eignen Preise würde bestimmen können. Und wer war der Kunde, um den sich's so zu bemühen lohnte? In einer Zeit öffentlichen Unmuts, von Krieg und Revolution: der Ärar – die Ordnungsmacht, bestehend aus Armee, Finanzverwaltung, Hof und Polizei –, der Ärar also, der das große Geld besaß, und wenn er keins mehr hatte, es einfach drucken ließ.

Und das nächste Mal, als ich meine Erträgnisse zur Bank schaffte, nahm ich mir ein Herz und sprach von meinen Gedanken zum Herrn Direktor Goldblatt, und dieser sagte, »Schau an, das Buberl!« und fügte hinzu, wenn ich einmal wirklich gedächte, solcherlei Geschäfte zu tätigen, er mir zur Hand zu gehen in Betracht ziehen könnte, gegen mäßigen Zins. Doch wurde zunächst nichts aus dem so hoffnungsvollen Projekt; statt dessen bemächtigte sich meiner ein Hang zum Theater, anscheinend ererbt, und Gedanken nicht geschäftlicher, sondern romantischer Art begannen mich zu beanspruchen: im Mittelpunkt dieser Gedanken tanzte die schöne Judith, Elevin am Ballett der Pester Oper, welche mich aus dessen Reihen heraus bereits bei meinem ersten Besuch dort, erkauft mit einem Teil meines ersten auf eigene Rechnung erworbenen Geldes, bis ins Innerste bezaubert hatte.

Gondor Judith, wie sie mit vollem ungarischen Namen hieß, war die Tochter eines minderen Finanzsekretärs beim Gouvernement, der ihren Hang zur Tanzkunst mißbilligte und ihre Tugend eifersüchtig bewachte; der Vater stand am Bühnenausgang, sie abzuholen, wo auch ich, nachdem ich mir tüchtig Mut zugesprochen, in der Absicht wartete, mich ihr zu nähern, und verscheuchte mich, als er meinen furchtsamen Schritt zu ihr hin bemerkte, mit flammendem Blick. Nun war ich mir der Existenz weiblicher Reize früher schon bewußt geworden; doch erschienen mir die Kammerzofen und Küchenmägde aus den besseren Etagen über dem Geschäft meines Onkels, mit denen die Moser-Buben poussierten, zu vulgär, auch wenn ich des Nachts von ihren herausfordernd an mir vorbeigetragenen Brüsten und Hinterbacken träumte. Judith dagegen, als beginnende Künstlerin, entsprach meinen Ehrgeizen schon eher, wie auch meinem Schönheitsideal, welches nicht das der niederen Klassen war.

Und da ich um Judiths willen gezwungen war, wie ein junger Herr von Stand in kostbare Bouquets und Kärtchen mit herzrührenden Botschaften und Trinkgelder für Bühnenportiers und Garderobenbedienerinnen zu investieren, welche dies alles der Adressatin übergeben und mir ihre Antwort zurückbringen sollten, mußte ich immer waghalsigere geschäftliche Transaktionen unternehmen.

Der Finanzsekretär beim Gouvernement Gondor Emery setzte meinem doppelten Leben ein Ende, indem er eines Abends, als ich seiner Wachsamkeit listig zu entgehen und Judith in ein Café mit Zigeunermusik zu entführen hoffte, plötzlich aus dem Schatten trat, mich beim Kragen meines schäbigen Mäntelchens packte, und mit weithin vernehmbarer Stimme zu wissen verlangte, welche Absichten ich mit seiner Tochter hätte, und sollten diese ehrbar sein, über wieviel Vermögen ich verfügte, und aus welchen Quellen; wenn ich jedoch nur ruchlos mit ihren Gefühlen zu spielen gedächte, werde er mir jetzt seinen vorsorglich mitgebrachten Degen in die Gedärme rammen. Das Geschrei zog mehreres Publikum an, welches gleichfalls den Platz vor dem Bühnenausgang bevölkerte, einige riefen schon nach der Gendarmerie, ich fürchtete Weiterungen, und da meine Judith just in diesem Moment aus dem Bühnenausgang herbeieilte und sich zwischen ihren Vater und mich warf, ergriff ich die Gelegenheit, mich ohne förmliche Adieus von dannen zu machen mit der neugewonnenen Lektion, daß man Prioritäten setzen müsse zwischen Liebe und Gelderwerb, und daß erst der Gelderwerb kam und dann, dies erledigt, die Liebe.

Das Ungestüm des Kaisers Napoleon begünstigte das Gewerbe. Soldaten brauchten Leinen für Hemden und Unterhosen, und Zwillich und Drillich für die Montur obenauf; der Stoff mußte weder besonders schön sein noch weich, nur saugfähig, für das Blut, wenn einen die Kugel traf; der Bedarf erneuerte sich wie von selber und ohne besonderes Zutun der Geschäftswelt, und so löste ich mich, wie wohl schon erwähnt, bald von dem Onkel und verselbständigte mich, mit Hilfe des Herrn Direktor Goldblatt von der Pester Handels- und Sparbank. Und so wie die Weber auf den armen Dörfern im Norden des Königreichs Ungarn den Forderungen der Armee kaum nachkamen selbst bei sechzehn und achtzehn Stunden täglicher Arbeit und sogar ihre Kinder an die Webstühle spannten, so hatte auch ich, der ich herumreiste mit dem Pferdewagen von Komitat zu Komitat und das Garn herbeischaffte für die Arbeiter und die Ware von ihnen einholte, um diese dann dem Herrn Oberstleutnant Wieden von der Monturkommission in Ofen zu übergeben, keine Zeit mehr für törichte Gedanken, und der Traum von der schönen Judith, die über die Bühne schwebte auf den Spitzen ihrer rosa Schuhchen, verblaßte immer mehr. Nur manchmal fragte ich mich, wenn ich des Nachts auf dem Strohsack lag in einem Dorfkrug, was ich denn eigentlich täte: ich hatte das Leinen geliefert für die Hemden, in denen die Soldaten steckten, mit welchen der Radetzky bei Leipzig den Kaiser Napoleon geschlagen, der für die Idee der Freiheit gekämpft hatte und der Gleichheit der Menschen – für jene Idee also, welcher ich meinen bescheidenen, wenn auch stetig wachsenden Reichtum verdankte –, aber, dachte ich dann, hatte nicht auch der Napoleon sich eine österreichische Prinzessin zur Frau genommen und war ein Herrscher geworden nicht weniger willkürlich und blutig als die anderen Monarchen auch?

Und wem nützte ich, wenn ich um irgendwelcher weltbewegenden Gedanken willen auf meinen Verdienst verzichtete und es anderen Lieferanten, ob diese jüdisch oder christgläubig, überließ, den Zwillich und das Leinen herbeizuschaffen für das blutige Geschäft, von dem wir alle zehrten, die ärmsten Weber in ihren Hütten wie die Herren Bankiers in ihren Büros und die Barone und Grafen auf ihren Schlössern? Dann war's doch besser, ich dächte darüber nach, wie ich's mir leichter machen und zugleich einen größeren Anteil erringen könnte an dem ärarischen Geld; ich wußte auch, wie; gab es nicht genug vife Burschen, die, gegen eine kleine Beteiligung, ihre Beine rühren würden statt meiner; ich mußte ihnen nur beibringen, auf welchen Routen sie sich zu bewegen und was sie zu tun und zu sagen und zu bieten und zahlen hätten; das Kassieren am Ende, bei der Monturkommission, übernähme ich dann schon selber.

Und bald stellte ich fest, daß ich, trotz meiner jugendlichen Jahre, eine Gabe besaß, mir die richtigen Leute zu suchen und richtig zu ihnen zu sprechen; ich sorgte dafür, daß ein jeder seines tat und nicht in eines andern Gehege kam, ich entfachte ihren Eifer, indem ich Lob verteilte und wo nötig Tadel, und gelegentlich ein paar extra Gulden, und da ich erkannte, daß mehrere Augen mehr sahen als die zwei, welche ich besaß, fragte ich meine Agenten nach ihren Beobachtungen und hörte auf ihre Vorschläge, deren einer war, daß das Gewebe, um besser brauchbar zu sein für den Zuschnitt der Monturen, breiter liegen sollte als die zwei Drittel oder drei Viertel Ellen, mit denen es jetzt von den Webmaschinen kam; und ich redete darüber mit dem Oberstleutnant Wieden, dem Kommandanten der Ofener Kommission, und dieser alte Militär bewunderte meinen Scharfsinn und meinte, er würde mir's lohnen, wenn ich das arrangieren könnt, das Stück Stoff eine Elle weit oder nur wenig darunter, und ich sagte, das würde einiges kosten, an Geld und an Zeit, denn man müßte die Stühle umbauen, an welchen die Weber webten, oder eventuell ganz neue konstruieren und ihnen hinstellen, oder, am praktischsten, ganze Werkstätten und Fabriken errichten, ausgestattet mit den verbesserten Maschinen, und die Leute anheuern, die daran arbeiten sollten, und vielleicht sogar die Näher und Schneider dazu – daß ich jedoch für ein derartiges Unternehmen feste Verträge brauchte mit festen Preisen und fester Laufzeit, sonst würde es nichts.

Ich erschrak über meine Kühnheit: was ich dem Oberstleutnant Wieden da vorschlug, war die Alleinregie der Leinenherstellung für die Armee in Ungarn in meiner Hand: keine öffentlichen Ausschreibungen mehr, keine Angebote von einem Dutzend und mehr Händlern, nur noch eine kurze Notiz, Pargfrider, liefern Sie. Auch der Oberstleutnant Wieden erkannte die Konsequenz meiner Offerte; ich sah's an seinem langen Blick und der Art, wie er sein Ohr kratzte; aber ebenso sah ich, welch Anerkennung er sich versprach von höherer Stelle für die zwei Handbreit zusätzlich am Tuch – eine Medaille mindestens, eine Beförderung womöglich –, und er sagte, er würde sich zum Vortrag melden beim Erzherzog Ferdinand, dem Regenten im Königreich Ungarn, und mich diesem vorstellen, wenn die Adjutantur es gestattete.

Seine Hoheit Erzherzog Ferdinand d'Este, aus einer Nebenlinie des Hauses Habsburg, empfing mich gnädig. »Also Sie sind einer von denen, welche was ändern woll'n«, sagt er und schaut mich an von oben bis unten und wieder hinauf, »alle wollen's was ändern, aber ob der Ärar die Kosten tragen kann von der Art Änderungen, daran denkt keiner.« Und zu dem Wieden, »Ganz die Lippe hat er, die Habsburgische, und die Nasen auch, nur a bissel mehr jüdisch«, und ich schau den Erzherzog an und seine Mundpartie und denk, das mit der Lippe stimmt, und sag, »Wenn Hoheit gestatten, ich hätt ein Papier, darauf hab ich geschrieben, was die Änderung kosten würd«, und füg hinzu, daß ich auch schon gesprochen hätte mit dem Herrn Direktor Goldblatt von der Pester Handels- und Sparbank, und er mir gesagt hat, fürs erste würd er mir helfen, und danach würd mir schon von ganz allein genug Kapital zufließen, damit ich selbständig weiterarbeiten könnt. Und dann hat der Erzherzog gesagt, »Alsdann, Wieden, schaun'S in Gottes Namen, daß der Pargfrider seinen Kontrakt mit uns kriegt«, und von da an ist eines zum andern gekommen, auch wie ich den großen Radetzky hab kennengelernt von Angesicht zu Angesicht, und da ich ein ehrliches

Spiel gespielt hab, nicht nur beim Tarock, und den Menschen lieber geholfen hab als ihnen die Gurgel abgedreht, und gewußt hab, wie weit ich gehen kann, ohne in das Messer zu laufen, das auf jeden in der Geschäftswelt wartet, hab ich mit Gottes Hilfe floriert, und hab auch, ohne mich sonderlich zu bemühen, in reichlichem Maße die Liebe gekriegt, die mir bei der Gondor Judith damals entgangen.

CAPUT VI

Wie ich dann, zusammen mit Oberstleutnant Wieden, weggegangen bin vom Erzherzog, in der Tasche, praktisch, meinen Vertrag mit der Ofener Monturkommission auf zehn Jahre exklusive Lieferung von Hemden- und anderen Stoffen, hab ich dem Herrn Oberstleutnant gesagt, daß ich auf meiner letzten Fahrt über Land bei einem Gestüt vorbeigekommen wär, wo ich ein paar sehr schöne Gäule gesehen und ein Depositum auf sie gezahlt hätte für den Fall, daß ich einen Interessenten fände für die Tiere oder mehrere, und daß er, Wieden, mir als der richtige Reitersmann erschiene für einen dieser Gäule, und ob ich ihn vielleicht einladen könnt auf einen Proberitt, und ich sah ein Licht aufleuchten in seinen Augen, und er sagte, ein Proberitt könne nichts schaden, ein Proberitt verpflichtete ja zu nichts, denn sein Salär als k. und k. Oberstleutnant beim Quartiermeisterstab sei leider nicht derart, daß er sich ein solch teures Roß leisten könne, und außerdem sei er kein Kavallerist wie der Radetzky, welcher seit kurzem als Stabschef beim Erzherzog eingezogen; er, Wieden, bedauere, daß er eher ein in einem k. und k. Offiziersrock verkleideter Kaufmann sei als ein Reitersmann, ein eleganter.

Bei diesen Worten überlief es mich erst heiß, dann kalt, denn sofort wurde mir klar, welch kapitalen Fehler ich begangen, als ich mich direkt zum Erzherzog hatte führen lassen von Wieden und es versäumt hatte, vorher beim Grafen Radetzky vorstellig zu werden; denn, diese Erfahrung war mir längstens eingebrannt, beim Militär lief alles über den Dienstweg, oder es lief überhaupt nicht, und mein schöner Vertrag wäre nicht das Papier wert, auf dem er geschrieben sein würde, wenn ihn der Radetzky nicht absegnete in seiner neuen Position; nur war ich nicht eigentlich schuld an meinem faux pas; die Information, daß Radetzky seine neue Stellung bereits angetreten, hatte mich einfach noch nicht erreicht gehabt; was aber auch nur bewies, daß ich mein Ohr nicht nahe genug an die richtigen Stellen gehalten.

Ich bat also stante pede den Wieden, mir eine Audienz bei Radetzky zu verschaffen, was dieser zu tun auch versprach, nach dem Proberitt, wie er lächelnd bemerkte. Tatsächlich saß Wieden schlecht zu Pferde, was bei den edlen Formen, den schlanken Fesseln, dem tänzelnden Schritt des Rosses um so augenfälliger; aber das Tier war gutmütig genug, ihn nicht abzuwerfen, und so gelangte ich alsbald und ohne weitere Hemmnisse zu Radetzky, bangen Herzens, gebe ich zu, nicht nur meines taktischen Fehlers wegen, den zu entschuldigen ich mein bestes tun würde, sondern vielmehr, weil ich mich da, eines ganz gewöhnlichen verregneten Ofener Nachmittags, mit dem leibhaftigen Besieger des Kaisers Napoleon konfrontiert fand.

Noch heute, da sein Leichnam auf dem Weg von Triest her nach Wien, sehe ich ihn vor mir, wie er auf mich zutrat damals, die kurzen Kavalleristenbeine solid das Parkett des Raumes beschreitend, die wasserblauen Augen mich taxierend, und höre die Stimme, ein wenig von Neugier bewegt und doch mit gewisser Wärme, »Der Herr Pargfrider – soso, ich hab von ihm schon gehört, ein zuverlässiger Mann in Geschäften, aber das ist nur die eine Seite, was ist die andere?« und wie ich mich noch frag, will er wirklich mehr über mich wissen, oder ist das nur eine Redensart, eine allgemeine, ergreift er meine Hand und ich spür, wie eine Art Gefühl herüberströmt von seiner Hand und in die meine, und ich denk, ein Mensch, hier ist ein Mensch, in diesem Beruf, und in dieser Zeit! Und ich sag, mich interessierte wohl, was er seinerzeit empfunden und was er gedacht hätte nach Leipzig, als er über das Schlachtfeld geritten sei in dem Wissen, daß er, und nur er, den Napoleon geschlagen – nicht die Preußen, und nicht die Russen, und nicht der Fürst Schwarzenberg, obwohl der doch das Kommando geführt pro forma über die alliierten Armeen –, und da sagte er, er hätte gedacht, daß ein Soldat, der sich fragen tät, was die Konsequenz wär seiner Entscheidungen für die Zukunft, überhaupt keine Entscheidungen mehr würd treffen können, aber daß er zugleich sich selber gesehen hätte als ein Werkzeug des Schicksals, welches die große Entscheidung für ihn getroffen: nämlich daß die Zeit, die der Kaiser Napoleon gestaltet, nun vorbei und vorüber, und er, Radetzky, einer von jenen sei, die beordert wären zur geschichtlichen Wachablösung.

Dieses nun klang mir höchst ungewöhnlich, entbehrte jedoch nicht einer gewissen Logik und nahm mich für ihn ein, und ich hatte keine Bedenken weiter, offen mit ihm über meinen Kontrakt bezüglich der Lieferung von Leinen und anderen Stoffen für die Armee zu sprechen, und ihm zu sagen, wie sehr ich bedauerte, bei den Verhandlungen darüber ihn übergangen zu haben, und meine Gründe dafür, daß ich jedoch hoffte, in Zukunft auf gute Kooperation mit ihm rechnen zu dürfen, ja, auf ein freundschaftliches Verhältnis sogar – insoweit ein solches zwischen Armeelieferant und Armeeoffizier überhaupt bestehen könne, in Anbetracht der bekannten Neidereien und Intrigen in den k. und k. Dienststellen.

Und beschloß, die Probe aufs Exempel sofort zu unternehmen, auch auf die Gefahr hin, er könnte meine Pferdeofferte als einen plumpen Bestechungsversuch verstehen und entsprechend verärgert reagieren; jedoch schien es, als stünde ein solcher Gedanke, im Verhältnis zu mir, gänzlich außerhalb seiner Betrachtungsweise; und in der Tat begann er, in aller Offenheit von seinen Schulden zu erzählen, die er als gottgegebenen Teil seines Lebens darstellte, ein andauerndes, ihn selber und den Rest der Welt schon langweilendes Hin und Her zwischen vergeblichen Versuchen, die Kredite, die er immer wieder gezwungen war zu suchen, durch Überschreibung an seine Gläubiger von großen Teilen seiner Gage zu tilgen – erst als Oberst, dann als Generalmajor und schließlich als Feldmarschall-Leutnant –, was ihn wiederum trieb, neue Anleihen bei immer neuen Wucherern aufzunehmen: bis ich, wie ich anderenorts wohl schon berichtet, in einem Anfall von Edelmut ihm die Rosse einfach schenkte, die ich ihm ursprünglich, zu einem stark reduzierten Preis jedoch, zu verkaufen gedacht hatte.

Er bedankte sich artig für mein großzügiges Geschenk – wie er denn überhaupt zeit unserer Bekanntschaft mir, aber nicht nur mir, auch anderen gegenüber, stets die Höflichkeit in Person war –, warnte mich jedoch sofort, ich möge nur nicht dem Irrtum verfallen, daß er sich, außer durch Gefühle freundlichster Art, für irgendwelche Freundlichkeiten meinerseits erkenntlich zeigen werde. Darauf ich, »Ich bitte Excellenz ergebenst, weder meine heutigen Worte noch eventuelle künftige Aktionen zu mißdeuten; Excellenz sollen wissen, daß ich in Ihnen einen der hervorragenden Helden unsrer Zeit verehre, wobei ich den Begriff des Helden beileibe nicht auf das Militärische beschränke; mehr noch, ich, der ich vaterlos aufgewachsen und mir Besitz und Stellung ausschließlich durch eigne Bemühungen erworben, sehe in Euer Excellenz eine Art Wunschvater, dessen Vertrauen zu gewinnen ich mir sehnlichst erwünsche ebenso wie, umgekehrt, es mir viel bedeuten würde, mein Inneres und meine Beweggründe Ihnen anvertrauen zu dürfen.«

Noch heute weiß ich nicht, was mich schon bei dieser ersten Begegnung mit dem Manne veranlaßte, ihm eine solche Erklärung zu machen – geschäftliche Motive waren's gewiß nicht, obwohl ich seine Billigung meines Lieferkontrakts mit der Ofener Monturkommission zu erreichen gedachte, bevor noch unser Gespräch sich dem Ende zuneigte. War es sein Gesicht – rund, aber nicht zu fleischig –, die ausgeprägte Stirn, der Ausdruck um Mund und Kinn – energisch, doch nicht tyrannisch und bei Gelegenheit sogar von humorvoller Güte –, die leicht knarzige Stimme, die trotzdem nichts von Befehlston an sich hatte, sondern eher einen Beiklang von Teilnahme, gemischt mit wohlmeinender, aber durchaus ernsthafter Kritik: genug, mir scheint, daß ich beginnend mit diesem unserm ersten Rencontre eine seelische Zuneigung zu ihm verspürte, die sein, und mein bisheriges Leben lang dauern sollte und mein Herz ganz erfüllte, gleich welche Differenzen und Streitpunkte zwischen uns sich im Lauf der Jahre ergaben.

Auch er, so empfand ich zumindest, war offenbar bereit, eine Beziehung zu mir in dem Sinne, den ich angedeutet hatte, aufzunehmen; jedenfalls griff er das Thema Held auf, das ich ins Gespräch gebracht hatte, und wollte wissen, was ich denn wirklich unter einem Helden verstünde, er habe nichts weiter Heldenhaftes vollbracht als in längst vergangenen Kriegen an der Spitze von ein paar Schwadronen Kavallerie Attacke zu reiten und ein paar kleinere Flüsse auf dem Rücken seines Pferdes zu durchschwimmen; und die Entwürfe der Schlacht von Leipzig seien, wie man so sagt, seines Wegs gekommen, weil ihn zu jener Zeit irgendeine Zufallsentscheidung höherenorts auf den Posten eines Stabschefs beim Fürsten Schwarzenberg gestellt, dem Oberkommandierenden der Verbündeten in jener Bataille; jeder andere hätte, in der gleichen Position, gleichfalls Schlachtpläne entworfen, vielleicht die gleichen wie er, vielleicht sogar bessere; die Schwierigkeit mit militärischen Bewegungen auf einer Landkarte sei immer, daß die eigenen sich wohl aufzeichnen, die des Gegners sich aber nicht voraussagen ließen; gewiß, Napoleon habe diese Schlacht verloren, das heiße aber noch lange nicht, daß er, Radetzky, sie realiter gewonnen habe; eine andere Bewegung des Kaisers mit einer anderen Division in einer anderen

Richtung, und der Ausgang des Treffens wäre ein anderer gewesen, mit total anderen Folgen.

»Aber«, wandte ich ein, »durch die Bewegungen Eurer Excellenz hatte der Kaiser jene andere Division für jene andere Bewegung eben nicht zur Disposition; Excellenz sind also doch der Sieger!«

Er lachte. »Wollen wir tauschen, Pargfrider? Sie planen die Schlachten, und ich liefere die Hemden?«

Sein Angebot, erwiderte ich, ebenfalls mit einem kurzen Lachen, ehre mich außerordentlich, doch befürchtete ich, daß ich als General keine sehr gute Figur machen würde; sonst aber stünde ich, wenn er je meiner Hilfe bedürfe, mit all meinem Hab und Gut und mit meiner ganzen Kraft ihm zur Verfügung. Und wurde mir bewußt, sobald ich diese Worte gesprochen, daß ich ihnen ein erheblich größeres Gewicht gegeben hatte als man üblicherweise einer Courtoisie beimaß, wie sie einer derart ruhmgekrönten Persönlichkeit gegenüber Brauch; meine Rede war, so schien mir, einem tiefen, herzlichen Gefühl entsprungen, über dessen Natur ich mir in jenem Moment nur noch nicht völlig im klaren war.

Er ließ seinen Blick lange auf mir ruhen, so als suche er zu beurteilen, wieviel Vertrauen einer wie ich wirklich verdiene. Dann hatte er sich wohl entschieden, denn er richtete sich auf, schob sein Kinn vor, und fragte, »Was, wenn überhaupt, wissen Sie von der Freimaurerei?«

Das war nun doch überraschend: ein hoher österreichischer General – von dem allerdings das Gerücht im Umlauf, er neige insgeheim gewissen Reformen zu –, sprach zu einem Fremden, denn mehr als das konnte er zu jener Zeit in mir ja noch nicht sehen, von einer in den Kronlanden verbotenen Organisation, und sprach von dieser nicht etwa empört oder zumindest mit Mißbilligung und in verachtungsvollem Ton, sondern nüchtern interessiert, von einem Fakt des Lebens einfach. »Ich weiß nur«, erwiderte ich schließlich, »daß Seine Excellenz Fürst Metternich in den Freimaurern die nächstschlimmste Bagage zu den Jakobinern sieht und sie dementsprechend mit seinem Zorn verfolgt.«

»Und von den Rosenkreutzern?«

Das nun war schon bedenklicher. Die Freimaurer waren aufgeklärte Leute, sie huldigten der Vernunft und der Sittlichkeit, und zur Zeit des Kaisers Joseph hatte sich eine ganze Anzahl von Offizieren, Künstlern, Gelehrten, Geschäftsleuten, und Grafen und Baronen sogar, unter ihnen befunden und der Papisterei Widerstand geleistet; die Rosenkreutzer aber, obwohl an die maurerischen Rockschöße gehängt, waren dem Mittelalter noch, oder wieder, verhaftet, glaubten an alle mögliche Mystik, an Kabbala-Sprüche und Zauberformeln und derlei, und befanden sich mit ihren Riten und geheimnisvollen Insignien auf dem besten Weg zurück in den Aberglauben.

»Warum fragen Excellenz?«

»Weil ich Sie für einen Menschen halte, Pargfrider, der sich auf der Suche befindet.«

»Suche wonach?«

»Nach dem Sinn unsres Tuns. Wie ich selber auch. Dem Sinn der großen Kämpfe und Kriege, der Mühen und Schmerzen, der Gegensätze, zwischen welchen ich mich zerreib. Warum streng ich mich an, meinen Soldaten selbständiges Denken beizubringen, obwohl ich weiß, daß jeder, der selbständig denkt, das Wesen des Staats, den ich ihm zu verteidigen befehl, bald darauf untergraben wird?«

»Und wer hat die Antworten?« frag ich. »Die Rosenkreutzer? Die Maurer? Die Jesuiten? Die Juden?«

»Sind Sie Jude?«

»Von Mutters Seite«, sag ich, »mit Sicherheit.«

»Aha«, sagt er.

»Und ein Jud«, sag ich, »hat keine Konflikte mit sich selber?«

»Doch«, sagt er. »Und immer die kompliziertesten. Das macht's ja so schwer mit den Juden. Also möchten Sie uns besuchen, Loge zur Großmuth, kommenden Sonntag? Ich werd Sie abholen lassen, und wir fahren miteinander hin.«

»Das«, sag ich, »wäre mehr als freundlich, und ich tät's dankbar akzeptieren.« Und hör gerade in dem Augenblick, von der Tür her, eine helle Stimme, die fragt, ob's gestattet wär, einzutreten; doch wartet die Einlaßheischende nicht, bis ein Adjutant sie hereinführen oder der Marschall selber ihr antworten kann; die Tür tut sich auf, eine junge Frau, ihr Hütchen mit dem kurzen Schleier daran schräg auf dem dunklen, leicht gewellten Haar, tritt raschen Schrittes ein, ruft, »Grüß dich, Papa!«, bemerkt mich, doch scheinbar ohne besondre Notiz von mir zu nehmen, und geht, ihres Vaters Stirne zu küssen.

Ich muß gestehen, daß ich beim plötzlichen Anblick dieser anmutigen, mit diskreter Eleganz gekleideten jungen Person das größte Vergnügen empfand, welches auch durch die Frage Radetzkys nach dem Wohlergehen der Kinderchen nicht getrübt wurde, aus der ich schloß, daß die Dame sehr wohl verheiratet war, und zwar, wie ich alsbald bei der förmlichen Vorstellung, »Der Herr Armeelieferant Joseph Pargfrider – meine Tochter Fritzi Gräfin Wenckheim« erfuhr, mit dem Major Wenckheim vom Stab der Kavallerie der 1., mit der Verteidigung Ungarns betrauten, Österreichischen Armee, »welche«, wie Radetzky sorglich hinzufügte, »unser Herr Pargfrider hier auf neue, qualitativ bessere und formschönere Art auszustaffieren versprochen hat.«

Ich vermute, die Gräfin spürte, welch lebhaftes Interesse ich sofort an ihr nahm; ich bemühte mich auch keineswegs, ihr dies zu verbergen; hier war eine in jeder Hinsicht höchst attraktive Frau, an welche man, wenn, wie es aussah, Geist und Charakter ihrem Äußeren entsprachen, seine Neigungen mit größtem Nutzen verschwenden mochte. Dennoch überlegte ich, ob ich es

nicht besser unterließe, die Ehe des Grafen Wenckheim in Tur-
bulenzen zu stürzen und so den alten Mann zu kränken und
seine Tage zu belasten: Radetzky war mir zu wertvoll, als
Mensch und als Idealbild, um seine innere Ruhe durch irgendwelche Peccadillos meinerseits zu stören; auch war ich mir nicht
unbedingt sicher, daß ich in ausreichendem Maße jene Eigenschaften besaß, die einer haben müßte, um einen Reiz auszuüben
auf eine Frau wie diese Fritzi. Ich nahm mir also vor, mein Herz,
bevor ich es an sie verlieren konnte, an die Kandare zu legen und
die Entwicklung irgendwelcher unkontrollierbarer Leidenschaften vorerst zu unterbinden; vielmehr würde ich mich darauf beschränken, ihr meine Freundschaft anzutragen und die
Nutzung meiner finanziellen Mittel, sollten sich Notwendigkeit
und Gelegenheit dafür ergeben; als Gattin eines österreichischen
Offiziers in mittlerem Range und Mutter mehrerer Kinder
würde sie bald genug die Vorteile erkennen, die sich durch eine
solche Beziehung zu einem Manne wie mir ihr boten.

All das ging mir – keineswegs schon durchdacht oder gar fertig formuliert –, durch den Kopf, während wir da saßen und
plauderten, der Marschall an seiner Zigarre saugend, die Gräfin
mit ihrem bemalten Fächer spielend und ich ein wenig nervös
geworden durch die neuen Eindrücke, die mich seit dem Beginn
meines Besuchs bei Radetzky bedrängten, und die neuen Möglichkeiten, die ich auf mich zukommen sah; mochte es sein,
dachte ich, daß ich bisher eine beängstigende Leere in mir gehabt hatte trotz all meiner Aktivitäten, geschäftlicher und anderer Art, und daß erst jetzt, mit dem Eintritt des ruhmreichen
alten Mannes und seiner Tochter in mein Leben, ein wahrer Inhalt dieses zu erfüllen begann?

»Gräfin«, sagte ich, »vorhin schon deutete ich Excellenz
Ihrem Herrn Vater an, daß ich mit allem, was ich bin und habe,
ihm zur Verfügung stehe. Darf ich das Anerbieten auf Ihre Pe-
son, und ihre Familie, erweitern?«

»Sie sind zu liebenswürdig«, lächelte sie und klappte ihren Fächer zusammen. »Ich werd dem Grafen Wenckheim vorschlagen, daß wir Sie zu unserm nächsten jour fixe begrüßen.«

Da hatte ich zwei Einladungen auf einmal bekommen, dachte ich, und beide über die gleiche Konnektion.

CAPUT VII

Die Sicherheit eines Menschen liegt in seinem Besitz; doch was sind bewegliche Güter wie Gold, Geld und Schmuck, gar nicht zu reden von Sparbüchern, Wertpapieren oder Geistigem erst, Wissen und Kunstfertigkeit – all das kommt leicht genug abhanden oder wird nutzlos; je fester jedoch und schwerer beweglich sein Besitz, desto sicherer mag der Mensch sich fühlen, und wahrhaft sicher sind nur Grund und Boden und die darauf errichteten Bauten, denn diese kann keiner so leicht davontragen.

Es kostete mich einiges Lehrgeld, diese Binsenweisheit zu begreifen; zu der Zeit aber, da ich Radetzky und dessen Tochter kennenlernte, war ich bereits der glückliche Eigner eines prächtigen Mietshauses in der Ferdinandstraße Nr. 2 in der Wiener Leopoldstadt und in Pest des vierstöckigen Doppelhauses Lazarus- und Altgasse, dessen jede Hälfte auf über 40 000 Gulden taxiert war; ich erwähne das hier nur, weil diese Gebäude eine gewisse Rolle im Leben der Menschen spielen sollten, denen ich durch Radetzky begegnete: zum einen seiner Tochter Fritzi, die samt Familie in der Lazarusgasse bei mir einzog, und zum andern des Feldmarschalls Wimpffen, dem ich in Wien in meinem Haus dort Quartier bot – in beiden Fällen praktisch ohne Mietzins.

Der Marschall Wimpffen, ein Deutscher übrigens, aus Hannover, hatte bei Aspern einen ersten österreichischen Sieg über Napoleon errungen, trotzdem aber kurz darauf seinen Posten als Chef des Generalquartiermeisterstabs an Radetzky übergeben, weil er, wie er mir später einmal sagte, diesen für den besseren Mann hielt, ein einheitliches militärisches Vorgehen der Kräfte der Allianz Habsburgs mit dem Zaren und dem preußischen König gegen den Franzosenkaiser zu koordinieren. Nun saß Wimpffen, trotz seines zivilen Rocks erkennbar der Soldat, auf dem gestreiften Polster einer zierlichen Bank im Salon des Pester Palais der Grafen Palffy – der regierende Graf Palffy war, flüsterte Radetzky mir zu, Meister des Stuhls der Loge Zur Großmuth –, und musterte mich mit kritischem Blick, nachdem Radetzky ihm erklärt hatte, er werde mich als Kandidaten für den untersten Grad der Maurer, den eines Apprentice, oder Lehrlings, vorschlagen und er, Wimpffen, möge meine Kandidatur doch bitte unterstützen.

Dies war das erste, was ich von meiner Kandidatur erfuhr, es sei denn, ich wollte den nicht sehr gründlichen Gedankenaustausch, den ich in der vorhergehenden Woche zum Thema Freimaurer und Rosenkreutzer mit Radetzky gehabt, als einen Versuch verstehen, mir auf den Zahn zu fühlen. Wimpffen, der ebenso überrascht schien über die ihm von Radetzky zugedachte Rolle als Pate meiner Wenigkeit, wie ich es über die neue Würde war, die ich, falls ich die Gunst der Versammlung fand, heute erhalten sollte, hieß mich, neben ihm Platz zu nehmen, und begann, mich zu meiner Vergangenheit und zu den Zielen zu befragen, die ich mir für mein Leben gesetzt hätte; ich gab ihm Auskunft, soweit ich es einem Fremden gegenüber, auch wenn ich ihn noch so sympathisch fand, für tunlich hielt; ich sprach von meiner höchst einseitigen Erziehung und den daher rührenden Mängeln meiner Bildung, von meinem Sehnen nach Höherem und nach dem Umgang mit Männern, die ihr Bild der Geschichte aufgeprägt hatten, und daß ich, in meinem Geschäft, leider nur geringe Möglichkeiten sähe, in den Kreis jener zu gelangen, deren Ruf, gleich ob in Bewunderung oder mit Entsetzen, die Nachwelt noch in Atem halte.

»Ehrgeiz haben Sie also«, sagte Wimpffen. »Ehrgeiz gilt in diesen Kreisen nicht als Tugend.«

Anscheinend war ich bleich geworden. Wimpffen griff nach der Flasche, die er auf einem Tischchen neben sich stehen hatte, goß mir ein Glas, Bordeaux war es wohl, ein, und forderte mich auf, »Stärken Sie sich, Pargfrider!«

»Sehe ich aus, als brauchte ich Stärkung?« fragte ich, trank jedoch das Glas in einem Zuge hinunter und sagte, »Ein wenig Glanz, das gesteh ich, stünd einem nüchternen Kaufmann wie mir, der mit jeder Transaktion sein Alles riskiert, nicht übel an.« Und fuhr ärgerlich fort, »Sie mögen die Nase rümpfen über mein Streben, Excellenz, denn Ihresgleichen fallen Glanz und Gloria von natura zu wie unsereinem Bauchweh und Hämorrhoiden. Was riskieren Sie denn?« Zu der Zeit wußte ich noch nichts von den Narben, die seinen Leib von Schulter bis Knöchel bedeckten. »Was riskieren Sie denn außer dem Leben Ihrer Soldaten? Ich dagegen muß ständig mit vollem Einsatz spielen und balancier tagtäglich am Rand meines geschäftlichen Untergangs...«

»Beruhigen Sie sich, Mann!« Er nahm mir mein Glas aus der Hand, füllte es auf, und offerierte es mir wieder. »Ich bin ja bereit, Ihnen zur Erfüllung Ihrer Wünsche zu verhelfen, wenn Ihnen so viel daran liegt! Wir fangen hier an, in der Loge Zur Großmuth, da kommen Sie unter ein paar der führenden Leute des Königreichs und können sich noch dazu mit dem Ruch des Aufrührertums, in Grenzen, selbstverständlich, parfümieren... Wenzel, Bruder!« Mit einer eleganten Bewegung seiner kleinen und offensichtlich sehr festen Linken winkte er Radetzky herbei, der sich inzwischen einigen anderen Herren zugesellt hatte. »Ich werd deinen Freund Pargfrider unterstützen. Der Bursche hat, wenn auch sonst nicht viel Attraktives, so doch Temperament, was uns in diesen heiligen Hallen leider nur allzu oft fehlt... Aber er soll uns selber erzählen, was ihm so vorschwebt!«

Damit hatte ich nicht gerechnet. Ich habe Prediger gekannt,

und Dichter und Professoren, die auf ein Kopfnicken hin, wenn der Kopf nur einer Autorität von genügend hohem Rang gehörte, eine wohlgerundete und stilistisch aufs feinste geschliffene Rede halten konnten; ich allerdings hatte so etwas noch nie probiert und befürchtete, in dieser Gesellschaft besonders, mich zu blamieren; aber die zwei Kriegshelden hatten mich festgenagelt, und was blieb mir als mich auf dem Boden, auf den sie mich gelockt hatten, so kreditabel wie möglich zu schlagen.

Der Bordeaux, dem ich fleißig weiter zusprach, begann mich zu benebeln; eine fast fröhliche Gleichgültigkeit bemächtigte sich meiner, und je näher mein Auftritt heranrückte nach der Eröffnung der Versammlung durch den Stuhlmeister Grafen Palffy, einen soignierten Herrn in grauem Frack mit weiß-seidener Chemise, desto weniger wußte ich, worüber ich sprechen sollte, um die würdigen Logenbrüder in möglichst günstigem Sinne zu beeindrucken.

Dann hörte ich Radetzky reden, auffällig der breite Akzent seiner böhmischen Heimat, welcher sich zu dem leicht nasalen Ton des dozierenden Stabsoffiziers, den er nun angenommen hatte, nicht recht fügen wollte; er sprach von den noblen Eigenschaften und Bestrebungen des Herrn Pargfrider und übergab dann das Wort Bruder Wimpffen, der sich anerboten, die Kandidatur des besagten Herrn Pargfrider für den Grad eines Apprentice in der zu Pest im Königreiche Ungarn angesiedelten löblichen Loge Zur Großmuth des Internationalen Ordens der Gelernten und Freien Maurer zu unterstützen. Wimpffen erhob sich daraufhin und berichtete, ich sei ihm als ein erfolgreicher Kaufmann bekannt, welcher unter anderem die Monturkommission der kaiserlich-königlichen Armee mit Textilien und ähnlichen nützlichen Gütern beliefere, und dieses stets zur Zufriedenheit seiner Abnehmer; doch reichten meine Interessen über das Geschäftliche hinaus ins Philosophische, vor allem in die Historie; er glaube darum, daß ich nicht nur materiell, sondern auch geistig beitragen könne, die erhabenen Ziele zu erreichen, welchen die Brüder der Loge mit all ihren Kräften zustrebten. »Und nun, ohne Weiteres, Joseph Pargfrider!«

Noch immer war die beseligende Leere in meinem Gehirn, die, hauptsächlich wohl durch den Bordeaux erzeugt, verhütete, daß die Furcht vor einer Blamage, die mich sonst sicher erfüllt hätte, mir meine Sprache total verschlug. So aber blickte ich mich um in der Runde, erkannte am Ausdruck der Gesichter, daß das Interesse meines Publikums an mir sich in Grenzen hielt, und dachte, bin ich bis dato ohne diese Leute ausgekommen, werd ich's wohl auch weiterhin fertigbringen; ich mochte sie also ebensogut gründlich schockieren, und begann daher damit, daß ich mich, ohne die Stimme auch nur im geringsten zu heben, erkundigte, wann meine geschätzten Hörer sich das letzte Mal irgendwelch ernsthafte Gedanken gemacht hätten über ihre unsterbliche Seele.

Beide, Radetzky wie Wimpffen, wandten sich mir plötzlich zu, und ich spürte die Aufmerksamkeit, die wenigstens ein Teil der Anwesenden mir auf einmal schenkte, ja, die Verwirrung, mit der sie mich betrachteten, und ich fragte weiter, ob sie denn überhaupt glaubten, eine unsterbliche Seele zu besitzen, und wenn ja, wie sie's mir beweisen wollten. Mir wäre ihre Meinung zu dem Punkt von großer Wichtigkeit; seit früher Kindheit schon wäre ich mit dem Tod in engster Berührung gewesen und hätte mich immer wieder gesorgt um das, was nach diesem letzten Einschnitt im Leben des Menschen wohl käme; die Auskunft, die man von der Kirche auf die Frage erhielte, sei, wie bekannt, von geldlichen Interessen geprägt und daher kaum als objektiv zu bezeichnen, doch deshalb anzunehmen, daß nichts als ein absolutes Nichts uns erwarte, sobald unser Herz aufgehört habe zu schlagen, erscheine mir doch als allzu trostlos, und etwas in mir revoltiere gegen den Gedanken.

Nachdem ich mich bis hierher hatte tragen lassen von meinen

Einfällen, die einer dem andern mit schöner Leichtigkeit folgten, wurde mein Redefluß von den dumpfen Schlägen eines hölzernen Gegenstands, eines Hammers oder einer Art Keule, auf den Tisch des Stuhlmeisters unterbrochen; Graf Palffy reckte sich auf zu seiner ganzen dürren Höhe und konstatierte, meine Frage sei nur entschuldbar durch meine Unwissenheit, die wiederum daraus resultiere, daß ich heut zum ersten Mal zu Besuch unter ihnen; das Freimaurertum, wie die Brüder hier wohl wüßten, sei weder Religion noch Sekte und übe keinerlei Zwang aus in Dingen, die Gott oder das Jenseits beträfen, es widme sich vielmehr in der Hauptsache der Verbesserung und Veredelung des Diesseits; jedoch sei den Brüdern freigestellt, ob sie an ein höheres Wesen und an die Existenz einer menschlichen Seele glauben wollten, die, obzwar weder zu sehen noch zu greifen, durch ihr Wirken erkennbar und die, von keiner Mutter geboren sondern von unbekannten Ursprüngen herstammend, vermutlich auch wieder zu ihren Ursprüngen zurückkehren werde.

Ich schwieg kurz. Ich wollte den Worten des Grafen, dessen tiefe Erregung hörbar gewesen, Zeit geben zu wirken; wollte aber auch selber mir überlegen, wie ich am besten ihm antworten könnte; ich durfte vor ihm nicht in die Knie gehen, konnte aber seine wohlgesetzten, und gewiß nicht zum ersten Male vorgetragenen Sentenzen auch nicht einfach abtun, wollte ich mir den Eintritt zur Loge Zur Großmuth nicht selber versperren.

Also bedankte ich mich zunächst für die Aufklärung, welche der verehrte Meister des Stuhls mir hatte zuteil werden lassen, und fügte hinzu, ich sähe einen weiteren Beweis für die Existenz unsrer unsterblichen Seele in unsrem Verlangen nach Unsterblichkeit, welches sich in vielen Äußerungen unsres Lebens zeige, vor allem aber in unserm Bemühen, im Gedenken der Nachwelt weiterzuleben, sei dies im kleinen Zirkel von Familie und Freunden, oder in größerem Rahmen – der Gilde oder Kaste etwa, der man zugehörig, der Schule oder Universität, der Stadt,

Provinz, oder gar des gesamten Volkes. Was sonst, wenn nicht der Wunsch, uns denen, die nach uns kämen, in der oder jener Form begreiflich zu machen, sei denn unser Beweggrund, wenn wir uns in Öl malen oder in Stein hauen ließen, oder irgendwelche Schreiber veranlaßten, über uns und unsre Errungenschaften zu berichten, oder gar selber zur Feder griffen und die Druckerpressen in Bewegung setzten, um unsern Worten eine Dauer über den Tag hinaus zu verschaffen? Nicht umsonst nannte man die Propheten der Bibel oder die Helden Homers unsterblich, und Generationen hätten sich bemüht, ihnen nachzustreben, auf diese Art ihre Unsterblichkeit sichernd; allerdings sei mir fraglich, von welcher Warte aus die unsterblichen Seelen der auf diese Weise unsterblich Gewordenen in eigner Person, sozusagen ihre Unsterblichkeit wahrnehmen und sich an ihr erfreuen könnten. Wo lagen die Gefilde, in denen die Unsterblichen wandelten und was trieben sie dort, wenn sie ihre Unsterblichkeit nicht gerade Revue passieren ließen?

Ich spürte das Unbehagen, aber auch die Neugier, in der Runde, und dachte, sollen sie ruhig an der Frage kauen, und sagte, um zum Schluß zu kommen – und noch heute weiß ich nicht, aus welchen Winkeln meiner unsterblichen Seele mir der Gedanke plötzlich emportauchte –, ich hielte es für die Pflicht der jeweils Lebenden, für die Unsterblichkeit ihrer hervorragendsten Zeitgenossen, sowie für ihre eigene, Sorge zu tragen, indem sie Marksteine setzten, an welchen auch die Künftigen noch sich orientieren und ihre eigenen Seelen bilden könnten, auf diese Weise das Edelste und Wertvollste der Menschheit für ewig bewahrend und erweiternd.

Mit der Erwähnung des Edelsten und Wertvollsten der Menschheit hatte ich, ohne es geplant zu haben, den Nerv meiner Hörer getroffen. Edel wollten sie alle sein, und höchst wertvoll, glaubten sie, wären sie sowieso, wie auch ich es von mir glaubte, und ich stellte erfreut fest, daß derselbe Graf Palffy, der mich vor kurzem noch getadelt und unmißverständlich belehrt hatte, jetzt meinen Worten gegenüber eine größere Toleranz zeigte, und daß Radetzky sich Wimpffen mit einem bedeutungsvollen Blick zuneigte.

Danach wurde, sicher auch in Ansicht seiner Unterstützung durch die beiden Marschälle, der Antrag, mich in die Reihen der Freimaurer in der Loge Zur Großmuth aufzunehmen, mit Mehrheit gebilligt, und ein gediegener Herr, den ich als den Bauinspektor Békessy erkannte, mit welchem ich im Zusammenhang mit meinen Häusern in der Lazarus- und Altgasse in Pest zu tun gehabt hatte, versicherte mir, daß ich nicht lange als Maurerlehrling zu dienen haben würde, sondern bald in den Rang eines Fellow, oder Gesellen, aufsteigen möchte.

CAPUT VIII

Indem ich, in Erwartung des Leichenzugs meines verstorbenen Freundes Radetzky, dieses niederschreibe, werde ich mir so recht des verschlungenen Wegs bewußt, den das Leben mich geführt. Wie oft hätte ich stürzen können! Und wie oft bin ich gestürzt und war gezwungen, unter den größten denkbaren Schwierigkeiten, und ohne daß mich einer gestützt, Freund, Bruder oder Geliebte, mich selber aufzurichten, und, immer noch aus meinen Wunden blutend, weiterzutaumeln, vorwärts, vorwärts – aber wer weiß denn, wo vorwärts liegt, und wohin der Weg führt, und ob es überhaupt der richtige Weg ist?

Ich war ein einsamer Mensch. Andere, Geringere als ich, fanden Frau und Kind, gründeten Familien, saßen am häuslichen Tisch, umgeben von vertrauten Gesichtern, und besprachen gemeinsame Sorgen und Freuden. Nicht so ich. Dabei war ich durchaus kein in sich selbst gekehrter, eigenbrötlerischer Sonderling. Ich nahm die Welt in mich auf und gab der Welt zurück, was ich in mir gehortet an Gedanken und Erkenntnissen, an Leid und an Freuden; doch wann war die Welt denn aufnahmebereit und willens, ihre Arme zu breiten und mich an ihre Brust zu nehmen?

Ich glaube nicht, daß der Grund für diese Verweigerung meine Geschäfte waren. Gewiß, ich jagte durchs Land, kaufend, verkaufend, zahlend, borgend, kassierend, bar auf die Hand oder auf Glaube und Kredit; wenn ich in meine Bücheln blick, meine Taschenkalenderchen über die Jahre hin, seh ich doch, mit wem ich gefrühstückt und gejaust und diniert habe, welch Sammelsurium an Menschen ich begegnet bin, beiderlei Geschlechts, hochgestellten und niederen, klugen und solchen beschränktesten Geistes, interessant die einen, die anderen ausgesprochene Langweiler – Gelegenheiten also genug, auszuwählen, wer mir gefiel oder nützlich erschien und mit wem es lohnen mochte, sich näher einzulassen. Warum, warum also die Kluft um mich herum? Warum die Scheu, meine wie die der anderen, engere Bindungen zu knüpfen oder gar bleibende? Waren die Männer mir zu geringfügig? Die Frauen nicht reizvoll genug? Wer verschloß sich wem? Ich mich ihnen, oder sie sich mir? Oder glaubte ich, mich reservieren zu müssen wie der Prinz im Märchen für die verwunschene Königstochter, die wachzuküssen ihm bestimmt war? Und selbst als ich mir die Italienerin mitbrachte aus Verona, mit ihrer süßen Stimme und ihrer Harfe, meine Anna Liane, nachdem ich sie verführt mit Charme und Witz und Andeutungen einer goldenen Zukunft – nur die Ehe versprach ich ihr nicht! – verführt, ihre Theatertruppe zu verlassen, in welcher sie sich ganz glücklich gefühlt, und mit mir zu kommen nach dem Norden, und sie mir dann den Joseph gebar, meinen künftigen Erben, wie sie mir freudig mitteilte, ließ ich mich nie so weit hinreißen, selbst in Momenten leidenschaftlicher Liebe nicht, mich an sie zu binden bis der Tod uns trenne, und zog es vor, sie zurückzuweisen, immer wieder, und sie leiden zu lassen, kalten Herzens.

Nun wird man sagen, da war doch der Wimpffen, der in meiner Gruft liegt, und der Radetzky, der bald genug darin liegen wird und warten, bis ich zu ihm kriech und mich bette in seinem Schutz – aber die hab ich gekauft, jawohl, hab ich, und für teures Geld; ich glaub kaum, daß sie sonst zu mir gekommen wären, da hätt ich noch so viele Statuen errichten können in Eisen- und Zinkguß auf meinem Heldenberg und Löwen setzen auf Triumphbogen und goldene Inschriften gravieren auf Gitter und Sargdeckel, und Tarock spielen und saufen mit ihnen noch und noch. Vielleicht, wenn's mir gelungen wär mit der Fritzi, dann wär ich ein anderer Mensch geworden, weniger auf mich selber fixiert, und wär avanciert in eine wirkliche Familie von wirklichem Adel und hätt dem Kaiser Franz Joseph was husten können von wegen seinem Orden und seinem Komtur – und nicht mal ein paar Brillanten sind drumherum gewesen an dem Geklimper. Aber das ist eine andere Geschichte.

Der Radetzky ist auch gar nicht mehr so lange in Ofen geblieben als Beigeordneter des Erzherzogs Ferdinand; dem Hofkriegsrat in Wien gefiel nicht, daß er von Ungarn aus, und endossiert vom Erzherzog, Denkschrift um Denkschrift schickte an den Kaiser mit Warnungen vor der Expansionsgier der Preußen und Russen, und vor dem Aufbegehren der Italiener in den italienischen Besitzungen Habsburgs, und eine stärkere Armee verlangte – das wäre noch angegangen –, aber eine modernisierte zugleich forderte er, und das bedeutete Umstellungen bei den Mannschaften wie beim Offizierskorps, und Österreich beruhte darauf, alle wußten das außer Radetzky, daß nichts umgestellt wurde und alles stets beim alten blieb.

So versetzten sie ihn denn als Kommandanten in die Festung Olmütz; dort war er gut untergebracht, dachten sie, und mochte Gemüse züchten in den Gräben unter den Mauern, und hatte er nicht sogar über Rolle und Nutzen der Festungen Österreichs geschrieben? Und ahnten nicht, wie sehr sie noch froh sein würden, Olmütz zu haben eines Tages als letzte Hoffnung und Zuflucht, nachdem sogar die Wiener auf die Barrikaden gestiegen waren – aber da hatte Radetzky schon den Oberbefehl in Italien erhalten und schickte sich an, das Reich und den jungen Kaiser zu retten, während ich nicht wußt, ob ich mein Herz nicht doch der Revolution zuwenden sollte. Vorläufig jedoch blühte mein Handel; der Kanzler Metternich, dem ich einmal begegnete beim Erzherzog Ferdinand, zeigte sich äußerst beunruhigt über die Ereignisse in Polen und noch mehr in Paris, wo die Bourbonen endgültig zu verschwinden drohten, und sorgte sich um das europäische Gleichgewicht, das er geschaffen nach dem Fall Napoleons und das er mit solcher Mühe aufrechterhielt, und meinte, man müsse Vorsorge treffen für die Ausrüstung von mindestens 50 000 Reserven: besser man habe die Leute bei der Hand und könne Druck durch sie ausüben auf die andern Mächte, als daß man unvorbereitet in die Krise gerate; und ich staunte, daß er auf einmal ganz nach dem Munde Radetzkys sprach, und überschlug in meinem Kopf, wieviel Ellen Stoff, Leinen wie Zwilch, ich zu liefern haben würde für 50 000 Monturen, und wie ich die Sache finanzieren sollte zu meinem Gewinn.

Vielleicht hätte ich mich schon beim Eintritt Metternichs höflich entfernen sollen; doch ich sah, daß dessen hochmütiger Blick über mich glitt, als sei ich gar nicht vorhanden, oder daß der hohe Herr, wenn er denn überhaupt Kenntnis genommen hatte von mir, zu glauben schien, die Hof- und Staatsangelegenheiten, die er mit dem Erzherzog zu besprechen hatte, lägen völlig jenseits des Verständnisses eines so ordinären Menschen wie ich einer war und er müsse daher keine Indiskretionen befürchten. Doch dann wandte er sich ganz überraschend mir zu und sagte, »Wir haben, denke ich, ähnliche Interessen, ich als Verteidiger der Monarchie und Sie als ihr Zulieferer, und so darf ich wohl annehmen, daß Sie alle Bemühungen unternehmen werden, meine Ziele zu unterstützen.«

Sollte ich mich nun geschmeichelt fühlen über Metternichs Worte oder gute Miene machen zu der verächtlichen Haltung, die darin impliziert war – egal, im Kopfe haften blieb mir die Zahl 50 000 und deren Bedeutung für meine Unternehmen, und zugleich mußte ich Sorge tragen, daß die Webmaschinen umgestellt wurden auf die neuen Maße wie nach der Absprache mit dem Oberstleutnant Wieden, und die Betriebe errichtet und die Leute beigebracht dafür, Arbeiter wie Aufseher und Schreiber und Fuhrmänner und was noch; wie eine Spinne, die ihr Netz immer weiter spinnt, eilte ich hin und her über das ganze Land, meine Fäden ziehend, und wurde immer hagerer und müder dabei, und Anna Liane, wenn ich schon einmal Zeit hatte für sie, blickte mich an mit ihren großen dunklen traurigen Augen und sagte, »Halt ein, halt ein, du wirst mir sonst krank«, aber nicht ich wurde krank, sondern der Oberstleutnant Wieden, und er sprach mir von seinen Krämpfen, als ich ihn besuchte an seinem Krankenlager, und von seinem scheußlich dünnen stinkenden Stuhl, und was nütze ihm nun sein prächtiger Gaul, wo er seit Wochen sich schon nicht mehr halten könne im Sattel, und kurz darauf brachten sie ihn auf einem Karren ins Militärhospital, und sagten mir dort, nein, es wär besser, ich hielte mich fern, und als ich fragte, was er denn hätte für eine Krankheit, daß ich ihm nicht einmal einen Wein bringen dürft, einen anständigen, sagten sie, »Mit Verlaub, die Cholera«, und als sie sahen, wie ich erschrak, sagten sie, es wär leider kein einzelner Fall, und dann erschien in meinem Kontor der Generalmajor von Neumann, der Divisionär war in Pest, und eröffnete mir, es täte ihm leid mit dem Wieden, ein lustiger Kamerad, aber von nun an werde er sich zu kümmern haben um meine Lieferungen an die Monturkommission und er bitte um eine vollständige Liste, ordnungsgemäß quittiert nota bene, damit er sie überprüfen könne, samt zugehörigen Warenmustern, und schließlich, welche Garantie könne ich geben, daß diese meine Lieferungen fristgerecht und in der versprochenen Qualität erfolgten?

Mir war, als befiele mich plötzlich ein Schwindel wie, so hatte mir Wieden erzählt, ein solcher auch ihn im Anfangsstadium seiner Krankheit geplagt, und ich mußte mich zwingen, dem Generalmajor von Neumann fest in das korrekt gefaltete Gesicht zu blicken und ihm zu erklären, meine Garantie sei mein guter Name und meine Unterschrift, worauf er erwiderte, er bezweifle deren Bonität keineswegs, doch sei, nach dem Kontrakt, den ich mit dem verstorbenen Oberstleutnant Wieden verhandelt, der Ärar verpflichtet, auch für eine so enorme Bestellung – »50 000 Rekruten, Herr Pargfrider!« erwähnte er, und wiederholte, »50 000!« – sich allein an mich zu halten, und was wäre, wenn auch bei bestem Willen und ehrlichsten Bemühungen ich nicht in der Lage sei, zu liefern?... Oder wünschte ich, unter den Umständen, doch lieber eine allgemeine Ausschreibung des Auftrags, was dem Ärar dann ermöglichen würde, die Order auf mehrere Bewerber zu verteilen?

Und lächelte freundlich. Warum haßt mich der Mann, dachte ich. Weil er weiß, daß ich ein Jud bin, oder vielleicht sogar ein Habsburg, den das Haus gerade deshalb verleugnet? »Ich verpfände Ihnen, Herr von Neumann«, sagte ich, »alles was ich zur Zeit besitze an realem Eigentum, drei große Häuser, davon eines in der Ferdinandstraße in Wien, die andern beiden in Pest.«

Er setzte den grünbefederten Generalshut auf. Dann hob er flüchtig zwei Finger seiner Rechten und sagte, »Sie schicken mir dann wohl Ihre hypothekarischen Dokumente.«

Die Cholera war damals im ganzen Land, und die Leute, besonders die Armen, starben rechts und links, und ich spürte es an meinen Zahlen, die Stücke, die mir versprochen waren, kamen zu spät oder manchmal gar nicht, und oft war das Gewebe voller Fehler, wenn einem schlimm geworden war am Webstuhl und er den Faden fallen ließ und nicht mehr die Kraft hatte, ihn richtig wieder einzuhängen; meine Aufkäufer, zumeist selber aus dem niederen Volk stammend, neigten dazu, ein Auge zuzudrücken, bevor auch sie hinsanken mit dem nächsten Anfall, und die Kinder, welche schließlich die Ballen in meine Läden schleppten, sahen so elend aus, daß ich oft nicht das Herz hatte, ihre Erzeugnisse zurückzuweisen, obwohl ich mich fragte, bist du ein Kaufmann oder ein Samariter, aber dann dacht ich, den toten Soldaten drückt eh kein Knoten im Tuch mehr.

Und dann mußte ich mich selber zu Bette legen, und hab auch

ohne den Doktor gewußt, das ist die Cholera, und sagte der Anna Liane, mach, daß du fortkommst, ich steck dich nur an, und sie hat gefragt, wer denn soll sich kümmern um dich, ich will nicht, daß sie dich ins Spital nehmen, dort stirbst du mir nur, und hat mich gepflegt und mir die Tränklein gemischt und den Hintern gewischt, und ich hab gemerkt, um Gottes willen, sie liebt dich wirklich und von Herzen, und in deinem Zustand erst recht, und bin mir vorgekommen wie ein Lump, ein dreckiger, daß ich nicht in mir gehabt hab zu sagen, Hör zu, Mädchen, ich weiß, ich verdien dich nicht, ich hab dich mit mir geschleppt aus deinem schönen Süden, und hab mich vergnügt mit dir, und du hast mir die Harfe gespielt und alles andre getan und nichts gefordert außer ein paar guten Worten; schön, ich hab dir die Wohnung bezahlt und eine Handvoll Gulden im Monat für Speise und Kleidung, aber was außer dem hab ich dir gegeben, Wärme vielleicht und was sonst ein Mensch noch braucht an Geborgenheit? Und jetzt, wo du dich opferst und Krankheit und Schmerzen und Tod riskierst für mich, sag ich dir immer noch nicht, geh, Anna Liane, Süße, ruf den Priester, er soll deine Hand legen in meine und uns einander antrauen; nein, ich tu als wär ich zu schwach selbst für diesen simplen Gedanken und phantasierte statt dessen im Fieber, und laß dich allein auch in meiner letzten Stunde.

Doch Gott hat nicht gewollt, daß meine letzte Stunde meine letzte Stunde würd, und wie ich aufgewacht bin, hab ich gespürt, daß ich die Krisis überwunden hab, und hab das Gesicht der Anna Liane ganz dicht über meinem gesehen und gefühlt, wie sie mir die Stirne gewischt hat, ganz sanft, und hab mir gedacht, warum soll ich jetzt noch was unternehmen, was ich eh nicht geplant hab zu tun?

Und wie ich das erste Mal wieder zurückgekommen bin in mein Kontor und die Zügel wieder in meine Hand genommen hab, und mit den Agenten geredet und mit den Vertretern, und mit den Fuhrleuten und Lieferanten, hab ich erkannt, wie wenig einer gebraucht wird: wenn nur sein Geschäft einmal läuft, läuft es; ich hab die Muster gesehen neben den Stoffballen auf den Tischen in der Monturkommission, und habe sehr wohl die Mängel und Fehler bemerkt in der Ware, aber das Lob aus den ärarischen Schneidereien hat weit überwogen, wie sie gefunden haben, daß die neuen Breiten sich besser vernähen ließen als die alten schmalen, und daß im Endeffekt Stoff gespart wurde durch meine Erneuerung, und der Oberstleutnant Wieden erhielt noch postum eine Medaille, und seine trauernde Witwe ein paar Kreuzer zusätzliche Pension.

CAPUT IX

Manche werfen mir vor, ich wär ein undankbarer Mensch. Aber das bin ich nicht. Schon deshalb nicht, weil ich einen ausgesprochenen Sinn hab für Gerechtigkeit: wenn einer was für mich tut, soll er's auch anerkannt kriegen; nur bin ich derjenige, welcher die Belohnung bestimmt, die angemessene, jeweils.

Nun mag einer fragen, wieviel wert ist ein Leben, was ist da das obere Limit, und ich würd antworten, was soll das Limit da sein, dein Leben hast du nur einmal, du kannst es nicht hoch genug taxieren, denn wo fändest du ein zweites, für Geld oder gute Worte? Also müßt ich der Anna Liane, die, eigner Gefahr nicht achtend, mich durchgeschleppt hat durch die Cholera, alles was ich hab verschreiben, mein Geld in der Truhe und was ich zu liegen hab in der Pester Handels- und Sparbank und anderswo, und was da ist an festem Besitz, ob mit Hypotheken belastet oder nicht, das Haus in der Ferdinandstraße in Wien und die Häuser in der Alt- und der Lazarusgasse in Pest, alles; aber dann hab ich mich doch gefragt, wie nun, wenn ich's auch ohne die Anna Liane geschafft hätt, ich hab eine zähe Natur, das hab ich gezeigt in den zahllosen Nächten, die ich zu Pferd verbracht hab oder in Reisekutschen, nur um rechtzeitig am Orte zu sein zu einer Unterschrift oder Verhandlung, und vielleicht hätt's auch ein Pfleger getan oder eine Pflegefrau, für vieles Geld allerdings, die Cholera ist kein Heuschnupfen.

Also hab ich sie gefragt, Anna Liane, hab ich gefragt, ich

möcht meine Genesung feiern von der Krankheit, obwohl ich noch ziemlich wackelig bin auf den Beinen, und ich möchte es richtig feiern, nicht nur ein Besuch im Konzert mit einem Mahl im Hotel de l'Europe hinterher und einer Flasche Wein, und da ich bald wieder auf Reisen gehen muß wegen dem großen Auftrag, welchen ich unternommen hab und bei dem mir der elende Hund im Nacken sitzt, der General von Neumann, so möchte ich dich mitnehmen mit mir und wir werden reisen wie zwei verheiratete Leut, ist auch bequemer so, und uns amüsieren neben dem Geschäftlichen, und wenn einer mich fragt, wer ist die schöne Frau in der Kutsche mit Ihnen, Pargfrider, dann werd ich ihm sagen, das ist meine schöne Italienerin, die ich mir mitgebracht hab von dort unten, und die mir geholfen hat über die Cholera ohne Angst und Bangen und ohne nach ihrem eignen Leben zu fragen und ihrer eignen Gesundheit.

Es gibt Bilder, die bleiben einem für immer im Kopf, und dieses war eines davon: ihr Gesicht, und wie es gestrahlt hat bei meinen Worten, so als trüge sie eine eigene Sonne bei sich, so heiter und generös und voll Glück, und ich hab mich doch ein wenig genant gefühlt und miserabel in dem Moment, denn ich hab ja gewußt, daß es mehr nicht sein würde als eine Geschäftsfahrt, und danach würde ich sie zurückbringen in ihre Wohnung, die ich ihr gemietet hab, wo sie wieder sitzen und warten würde, bis ich die Zeit fände und die Lust, mich ihr ein anderes Mal zu widmen.

Also sind wir nach Stockerau gefahren im Niederösterreichischen, denn dort ist die Montur-Hauptkommission der k. und k. Armee situiert, und in Stockerau haben sie Näheres wissen wollen über meinen Auftrag für die Kommission in Alt-Ofen, weil sie gedacht haben, sie möchten sich daran beteiligen, eventuell, und wer bin ich, ein Geschäft auszuschlagen, wenn sich mir eines bietet, und ich muß sagen, die Gegenwart von der Anna

Liane hat sich höchst günstig ausgewirkt dafür, die Offiziers vom k. und k. Quartiermeisterkorps in Stockerau, welchen die Kommission dort untersteht, haben ein Auge gehabt für die Damen, und tatsächlich hab ich alsbald Fragen gehört, wer die schöne Frau denn sei, in deren Gesellschaft ich mich beweg, und wie wir abends gesessen sind im Saal vom Hotel Zum Adler, hat sie einen Tanz nach dem andern gehabt mit den Herren, und wie der Zigeuner-Primas an den Tisch getreten ist, für sie persönlich zu spielen, hat sie gesagt, »Einen Augenblick bitte«, und ist nach oben gegangen auf unser Zimmer und zurückgekommen mit ihrer Harfe, und der Primas hat sich verneigt und mit dem Bogen geklopft auf den Rücken von seiner Violine, und daraufhin haben die Zigeuner drauflos gezupft und gefiedelt und das Ping-Ping ihrer Zither hat sich ganz eigentümlich vermengt mit den Klängen der Harfe von meiner Anna Liane, und dazu hat sie gesungen O Sole mio und Amore Amore, und am nächsten Tag kamen die Bestellungen auf Zwilch und Hemdenstoff zuhauf, ich hab mir kaum zu helfen gewußt, und, wie sich herausgestellt hat, viel wichtiger noch, der Wirt vom Hotel, ein gewisser Blaubeutel, hat mir erzählt, das alte Schloß Wetzdorf, ein paar Stunden von Stockerau in Richtung der Stadt Horn, stünd zum Verkauf mit allem Land und den Dörfern ringsum, die gesamte Herrschaft, vielleicht möcht ich mich interessieren dafür?

Ein Schloß, hab ich gedacht, was soll mir ein Schloß, ich hab genug zu tun mit meinen Geschäften, wenn ich mich um alles kümmern soll, das Material und die Arbeit und die Lieferungen, und ich war drauf und dran, dem Herrn Blaubeutel zu anworten, Danke recht sehr, aber so etwas ist wohl kaum was für mich; doch da seh ich die Anna Liane, wie sie aufhorcht, und hör sie sagen, vielleicht sollt man sich's anschaun, das Schloß; und ich denk mir Teufel noch eins, was brockt dieser Mensch dir da ein, bloß weil du die Frau hast mitfahren lassen nach Stockerau, spielt ihre Phantasie verrückt, und sie sieht sich in ihrem Geist schon als die Schloßherrin von Wetzdorf, wie sie Gastmähler gibt auf meine Kosten für die Herren und Damen von Adel; aber dann kommt mir ein zweiter Gedanke, und ich erinner mich, was ich mir überlegt hab erst neulich, daß nämlich der einzig solide Besitz der feste Besitz ist, und was ist wohl fester geblieben durch die Jahrhunderte als ein Schloß mit Mauern ringsum und Toren und Säulen und Türmen und Scharten, durch welche die Knechte einst ihre Geschosse richteten auf die Angreifer draußen?

Ich hab einen dicken Kopf gehabt den nächsten Tag, aber die Anna Liane war was man im Volke nennt putzmunter und voller Vorfreude auf die Kutschfahrt von Stockerau nach Wetzdorf, vorbei an Äckern und Wiesen und sanften Hügeln, auf denen die Morgensonne sich fing und die Reben wärmte, ein gesegnetes Land, nur, das bemerkte selbst ich mit meinen minderen agrarischen Kenntnissen, besser bearbeitet könnt man's sich wünschen, wußten die Leut nicht, daß ihr Geldbeutel abhing von ihrem eignen Tun, und ihr Grundherr, wußte er nicht, daß ihr Pachtzins sich vergrößern möchte durch ein wenig Eifer ihrerseits; aber ich sah sie hocken vorm Wirtshaus am Vormittag schon mit ihrer Nase im Weinglas, es war die Art Gegend, der Wein hier, besonders der billige, hatte es in sich, und ich nahm mir gleich vor, wenn ich mich ankaufen tät in Wetzdorf oder sonstwo nahbei, ich würd sie schon dazu bringen, ihren Hintern zu rühren, wenigstens für sich selber: wenn ich die Weber in Ungarn und Böhmen bewegt hab zu doppeltem Fleiße, wird mir's wohl auch bei diesen Bauern gelingen.

Und wie wir abgebogen sind von der Straße auf einen holprigen Feldweg und der Kutscher Hoah! Halt! gesagt hat zu seinen Gäulen auf einem Platz zwischen halb zerfallenen Bauten, der mir mehr aussah wie ein Stück Kartoffelacker, aber ein ungepflegter, hab ich gefragt, »Das ist Schloß Wetzdorf?« und der Kutscher hat gesagt, »Wir sind in der Mitte vom Schloß-hof«, und ich bin herausgeklettert aus seiner Kutsche und hab ringsum geschaut und hab die blinden Fenster gesehen an der Kapelle und an dem Haupthaus, und wo die Dächer zerfielen und der Putz bröckelte von den Mauern, aber auch wo der Stein noch fest war, und was man abreißen müßt an Gebäuden und was sich, mit viel Aufwand an Arbeit und Zeit, und Kosten, re-staurieren ließe, immer vorausgesetzt, es fände sich einer när-risch genug dafür.

Dann hört ich die Haupttür am Hauptbau in ihren Angeln kreischen und ein Mann trat heraus in Schlafrock und Pantof-feln, ein dicklicher, und auf dem Kopf eine Schlafmütz, und krächzt, was ich wollt? Und ich frag, ob er möglicherweise der Herr Kreishauptmann Csikann ist aus Znaim im Mährischen, welchem dies Schloß gehört, und er sagt, Möglicherweis ja, und ich frag, ob wir vielleicht eintreten dürften in sein Schloß, die Dame und meine Wenigkeit, und mit ihm reden, und er sagt, er hätt keine Einwände, aber wir müßten warten im Salon oben, bis er sich präsentabel gemacht hätt, er hätt eine lange Bespre-chung gehabt letzte Nacht mit ein paar hochmögenden Herrn bezüglich eines Verkaufs seines Schlosses und hätte darum bis später geschlafen heut früh als sonst.

Also sind wir hinaufgestiegen die breite steinerne Treppe zum Obergeschoß, die Anna Liane und ich, über Stufen, die in der Mitte niedergetreten waren von vielen Geschlechtern Gestiefel-ter und Gespornter, und ich hab mir gedacht, ich würd auf einen Schelmen anderthalbe setzen müssen bei diesem Herrn Csi-kann, denn immerhin war er wach genug gewesen nach seinem langen Abend, die Anna Liane und mich ganz beiläufig wissen zu lassen, es gäbe auch andre, und zwar hochmögende, Interes-senten für sein Schloß. Und wie ich, dem Schlafrock hinterher, durch die Flucht von Gemächern geschritten bin, eines ver-wahrloster als das andere, bis hin zu dem, das der Csikann seinen Salon genannt, hab ich mir doch vorgestellt, was einer daraus machen könnt mit einigem Geschmack, und daß ich hier endlich Platz finden könnt für meine Sammlungen, Kunst, Porzellan, seltene Waffen, was weiß ich, die ich noch gar nicht angelegt bis auf die Lithographien vom Leben des Kaisers Napoleon, und ich hab das Roßhaar herausquellen sehen unter den Sprungfedern von den Sesseln, auf welche der Herr Kreishauptmann uns plaziert hat, und hab die Enttäuschung erkannt in den Augen der Anna Liane; was hat sie erwartet, ein warmes, wohlausgestattes Nest mitten in der niederösterreichischen Barbarei?

Dann ist er gekommen, der Herr Kreishauptmann, in einer Joppe aus feinem Stoff, die Pantalons jedoch ausgebeult an den Knien und die Lippen noch fettig von seinem Frühstück – uns hat er nichts angeboten, der Geizkragen, der Anna Liane und mir –, und hat zu wissen verlangt, was wir denn wollten hier auf Schloß Wetzdorf, und ich hab mir gedacht, es ist sinnlos herumzuschleichen wie die Katz um den heißen Brei, und hab ihm erzählt von dem Herrn Blaubeutel, dem Wirt vom Gasthaus Zum Adler in Stockerau, und was der mir gesagt, und daß ich ganz gern gewußt hätte, was er, Csikann, denn für Vorstellungen hätt, preislich und in der Richtung, und welche Belastungen denn lägen auf Schloß und Herrschaft, nebst Bauten und Land und ansässiger Bevölkerung, und was die Erträge wären, wenn denn solche einkamen und wovon, Pacht oder Abgaben anderer Art, auch Verkauf eigner Produkte; kurz, ich hätte meine Zweifel, ob ich überhaupt in Betracht ziehen solle, einen Teil meines hart erarbeiteten Vermögens in einen solch herabgewirtschafteten Besitz zu stecken; aber vielleicht könne er mich eines Besseren belehren.

Diese direkte Art, ihn anzugehen, brachte nun ihn in Verlegenheit, denn sie zeigte ihm, daß ich nicht besonders begierig war, mich anzukaufen in Schloß Wetzdorf, weshalb er sich auch nicht hinter seinen hochmögenden Interessenten verstecken konnte, um mich, wie beim Tarockspiel, hochzureizen: ich würde einfach dankeschön sagen und die Partie quittieren. Aber der Zustand von beiden, Schloß und Umgebung, zeigten nur zu deutlich, wie sehr er Geld benötigte. So tat er denn, was einer in solcher Lage tut: er zählte auf, was alles den Reichtum der Herrschaft Wetzdorf bilde und ihr Einkommen sichere, nämlich die Orte Groß- und Kleinwetzdorf, Glaubendorf, Rohrbach, Dippersdorf, Kiblitz, Unterthern, Puch und so fort, dazu die Weinzehente aus andern Gebieten noch, welche die Bauern zu liefern hätten; dann drehte er den Spieß um und fing an, mir Fragen zu stellen – natürlich wisse er, wer ich sei und welches mein Geschäft, dennoch sei selbst für meine Verhältnisse die Herrschaft Wetzdorf kein kleiner Brocken, hier sei Geschichte gemacht worden, der Herr zu Allensteig, der sie einst geeignet, sei Platzoberst von Wien gewesen und habe sich mit den Protestanten gegen den Kaiser verschworen am Anfang des Dreißigjährigen Kriegs, und hier sei ihm der Kopf dafür abgehackt worden in aller Öffentlichkeit, und später hätten die Herzöge von Schleswig Wetzdorf besessen und die Grafen Wallis und Kolowrat, eine illustre Schar, in deren Nachfolge ich meine bürgerliche Brust wohl schwellen lassen könne mit Stolz, und sei es mir denn überhaupt ernst mit meinem Verlangen oder sei ich nur vorbeigefahren gekommen aus Neugier, denn sonst hätte ich mich und meine schöne Begleiterin doch wohl angekündigt im vorhinein zu meinem Besuch?

Darauf ich: Ich hielte schon länger Ausschau nach lohnendem ländlichen Eigentum als Anlagemöglichkeit für gewisse andere mir zur Verfügung stehende Vermögenswerte, doch sei ich, nachdem ich in Stockerau erfahren, die Herrschaft Wetzdorf stünde zum Verkauf, tatsächlich mit meiner Dame auf eine plötzliche Eingebung hin hierher gefahren, und sollte ich ihm ungelegen kommen, möge er's mir, ohne befürchten zu

müssen, unhöflich zu erscheinen, nur ruhig mitteilen: wenn
dies aber nicht der Fall, und er immer noch gewillt zu verkaufen, schlüge ich eine Begehung vor, damit ich mir ein etwas
gründlicheres Bild von dem Zustand des Besitzes machen
könne.

Die nächsten zwei Stunden, das kann ich heute mit Sicherheit
sagen, bestimmten den Rest meines Lebens. Eindrücke die
Menge und Ideen verschiedenster Art überfluteten mich, und
ich hatte Mühe, mein Urteilsvermögen zu wahren und mein
Augenmaß und die Fähigkeit, ruhig zu erwägen, was wofür
sprach und welche Entscheidungen möglich und richtig; ich sah
den offnen Verfall ringsum, die Vernachlässigung und Verwil-
derung; Farben und Tapeten blätterten von den Wänden, ein
Schlag meiner Faust genügte, um verrottetes Gemäuer zerbrö-
seln zu lassen, Sand häufte sich und Unkraut gedieh, wo einst
Park und Felder und Reben gewesen; ich beobachtete, wie Csikann den Kopf einzog, wenn er bemerkte, daß mein Blick auf
ein Zeugnis nach dem anderen seiner eignen Mißwirtschaft oder
der seiner Vorbesitzer fiel; doch ich sah auch, was an Substanz
noch vorhanden, und daß sich doch einiges noch retten ließe,
und suchte zu kalkulieren, was dieses mich kosten würde und
ob es sich wirklich auch lohnte, und dachte zugleich, Vorsicht
vor dem Manne, daß er dir nicht dein Geld aus der Tasche zieht
und dir nur Unwert gibt dafür, und dann – o Wunder! – lösten
sich all mein Kalkül aus meinen Gedanken, all meine Beur-
teilungen, Schätzungen, Berechnungen, und vor meinem geistigen Auge erstand ein glorreicher Bau mit spiegelnden Fenstern
und Toren aus weißem Stein, in dem sich die schöne Strenge des
Alten verband mit den reich fließenden Linien unsrer Moderne,
und mit Gärten und Hainen, in denen sich's spazieren ließe auf
gepflegten Wegen, und mit reichen Feldern ringsum, und just
da fiel mir der Ausdruck auf, der höchst sonderbare, der sich
um Mund und Kinn meiner Anna Liane gelegt – es war mehr

als ein Ausdruck, in der Tat, ihr ganzes Gesicht hatte sich gewandelt, und ich sah bestätigt, was letzte Nacht noch wenig mehr als flüchtige Befürchtung gewesen: neben mir schritt die Herrin von Wetzdorf einher, und schon glaubte ich, das Klirren der Schlüssel zu hören an ihrem Bund, und eine warnende Stimme, der Teufel weiß, wessen, rief mir zu, Wäg erst, dann wage, sonst möchtest du hier dich gebunden finden eines gar nicht so fernen Tags, und festgeschnürt enden, nicht länger dein eigener Herr, und alles durch deine eigene Vertrauensseligkeit!

Stärker jedoch als alle ahnungsvollen Stimmen erwies sich die Verlockung: dies verwunschene Schloß, wenn ich's eroberte, würde aus mir einen anderen Menschen machen, aus einem Händler in groben Textilien und Profitschneider niedrigster Art, als welchen so mancher mich bezeichnete, den Herrn eines Besitzes, auf dem ein Graf einst geköpft worden war, weil er sich gegen seinen Kaiser verschwor, und nie mehr würden die Edlen des Landes herabblicken können auf mich wie auf ein Stück Ungeziefer, das man am Boden zertritt.

Csikann ermüdete zuerst. Nachdem wir die Räumlichkeiten des Haupthauses besichtigt und die verschiedenen Nebengebäude, und die Türme erklommen, und das steinige Feld umschritten, das sich zu der Zeit rund um das Schloß zog, und die Anhöhe mühselig überquert, in beiden Richtungen, aus welcher ich später meinen Heldenberg gestaltet, und das Dorf Klein-Wetzdorf durchlaufen und Groß-Wetzdorf bis hin zur Dorfkirche auf dem Berg, keuchte er hörbar, und auch meine Anna Liane hielt inne, um mit einem batistnen Tüchlein die Schweißtröpfchen zu trocknen, die ihr auf die Stirn getreten waren. So sagte ich denn, für jetzt hätte ich genügend gesehen, und bewunderte zugleich meine eigne Natur, die trotz ihrer kürzlichen schweren Erkrankung mir solche Kraft verlieh, daß ich noch länger hätt visitieren und inspizieren können – oder war's ein seelischer Effekt, der mich vor Ermüdung bewahrte?

Zurück im Salon des Schlosses bequemte der Herr Kreishauptmann sich endlich, eine Magd zu beauftragen, uns eine Bouteille Wein aus dem Keller zu bringen. »Hiesiger?« wollte ich wissen, und er entschuldigte sich, er sei gerade dabei, seine Vorräte mit ein paar guten Ungarn und Franzosen aufzufüllen; dieser sei vom letzten Zehenten aus der Umgebung; aber so könnten wir ihn wenigstens schmecken und selber beurteilen – woraus ich schloß, daß es mit den hochmögenden Herrn, von deren Interesse an Schloß Wetzdorf er gesprochen, nicht so weit her sein konnte, und daß er keine großen finanziellen Reserven besaß.

»Wohl bekomm's!« sagte er, und ich trank einen Schluck und verdrehte meine Augen genießerisch und sagte, »Ein herzhaftes Getränk und, wie ich annehme, auch bekömmlich – aber zur Sache: Wieviel?«

Vielleicht war er wirklich erschrocken über meine Brutalität, oder er tat nur so und stotterte, »Wieviel was?« und ich sagte »Gulden conventioneller Münze«, und er sagte, aber so könne man ein solches Geschäft doch nicht übers Knie brechen, und außerdem müsse er sich auch mit den andern Interessenten noch ins Vernehmen setzen, und ich sagte, »Bitte, Herr Csikann, wollen Sie verkaufen oder nicht?« und er schluckte, und sagte, »Was bieten Sie, Herr Pargfrider?« und ich sagte, »Was fordern Sie, Herr Csikann?« und er sagte »200 000, Herr Pargfrider«, und ich stellte mein Glas hin und stand auf und sagte, »Anna Liane, wir gehen«, und er sagte, »Einen Moment noch, Herr Pargfrider«, und ich sagte, »Also ernsthaft, wieviel, Herr Csikann?« und er sagte, »150 000, Herr Pargfrider«, und ich sagte, »50 000, Herr Csikann«, und so bewegten wir uns, Schritt um Schritt, aufeinander zu, bis wir uns bei 90 000 trafen, und ich wußte, daß ich das Schloß und die Ländereien und was sonst noch zu der

Herrschaft gehörte, um etwa die Hälfte ihres wirklichen Wertes bekam, und nahm mein Glas zur Hand und nickte ihm zu, es aufzufüllen, und dachte, daß ich seine Gläser alsbald durch elegantere zu ersetzen haben würde.

CAPUT X

Ich habe obsiegt! Ich habe obsiegt!

Aber was mußte ich erdulden, welch Gefahren bestehen, welch verzweifelte Sprünge vollführen, um den Ruin, den sie mir zugedacht, abzuwehren!

Dabei ließ sich alles so einfach an. Der Kontrakt war klar und eindeutig: ich würde liefern, nach sieben verschiedenen Mustern Leinwände, Zwillich und andere Stoffe für ihre Monturen, und sie würden zahlen, mit Vorschuß, zu 16 Kreuzern die Elle, denn die Quantitäten waren gewaltig, um die es ging – 50 000 Mann Reserven, die eingekleidet werden sollten! – das erforderte Gelder im voraus, und ich wiederum würde die Lieferung, fristgemäß und nach Menge und Qualität, garantieren, indem ich der Ofener Monturkommission als Kaution eine Hypothek auf meine zwei Pester Häuser in Höhe von 315 000 Gulden überschrieb. Dies bedeutete natürlich, daß ich den Vorschuß, den sie mir zu zahlen versprachen, selber bevorschußte; aber ich dachte, die ganze Transaktion wär nur eine Frage von wenigen Wochen: danach hätte die Monturkommission ihre Leinwand und ich mein Geld und meine Hypothek, rückerstattet in voller Höhe.

Solang Oberstleutnant Wieden noch da war, wär das auch ganz glatt und famos gelaufen, aber seit sich der Generalmajor Neumann eingemischt in meine Beziehungen zur Ofener Monturkommission, gab es nichts als Mängel und Beschwerden, ich mochte mich mühen und abrackern soviel ich wollte, um prompt und pünktlich zu sein: mal war's nicht das richtige Gewebe, mal stimmte die Farbe nicht, mal war die Leinwand zu lang und schmal, mal zu kurz und breit, mal hatte ich zuviel geliefert und mal zuwenig, mal fehlten die Offiziere zum Empfang der Ware und zu deren Begutachtung, mal fehlte plötzlich der Lagerraum, mal wurden meine Fuhrleute maltraitiert, und mal meine Agenten beschimpft, sogar von dem Herrn Ritter von Neumann in eigner Person, bis ich dachte, ich werd selber reden mit ihm, es wird das Übliche sein, nur er wird mehr haben wollen als die anderen vor ihm.

Doch als er dann gar Order gab, die Akzeptanz von ein paar zehntausend Ellen zu verweigern unter fadenscheinigem Vorwand – ich könnt ja gehen und sie auf eigne Rechnung an Privat verkaufen, ließ er mir ausrichten, er jedenfalls weigere sich, österreichische Soldaten in solchem Gelump aufs Schlachtfeld zu schicken – und als ich noch immer nicht einen Kreuzer gesehen von dem Geld, das mir kontraktlich zustand, beschloß ich, ihn zu stellen. Der Hauptmann Reichel, einer von den alten Offiziers des Oberstleutnant Wieden selig, war gerad dabei, die Stücke auszuzählen und zu stempeln, die ich diesmal persönlich geliefert, da kommt der Neumann und schreit Reichel an, »Halt! Nix iss! Halt!« Dann erkennt er mich, der ich im Schatten gestanden, faßt sich aber auf der Stelle und schnarrt, »Da kann ich's Ihnen ja direkt sagen, Herr Armeelieferant: Nehmen's Ihr Zeug wieder mit, es entspricht nicht den Mustern.« Ich sag, »Zeigen's mir die Muster, Herr General!« und er schickt seine Leute herum, sie sollen die Muster bringen, und ich hör, wie der Reichel rapportiert, »Melde gehorsamst, Excellenz, aber Excellenz haben höchstselber befohlen, wir sollen die Muster verbrennen, wegen der Cholera«, und ich sag, »Dann möchte ich doch annehmen, meine Lieferung entspricht den Spezifikationen, Herr General – aber wollen wir nicht irgendwo hingehen auf eine Schale Kaffee?«

Da hat er dann gesessen auf einem strohgeflochtenen Sessel in dem Café gegenüber von der Monturkommission, aber er war nicht so klein und bescheiden, wie ich vermutet hab, daß er sein würde nach seinem Pech mit den Mustern, und ich hab mich gewundert, woher nimmt er den Nerv, hab aber trotzdem gedacht, ich versuch's, und hab ihm gesagt, ich hätt da ein Gestüt an der Hand mit ein paar sehr edlen Rossen und würd mich freuen, ihm eines davon zu zeigen oder auch zwei, welche ich ihm preiswert ablassen könnt für seinen persönlichen Bedarf, aber er tat, als hätt er mich nicht gehört, und hat mir statt dessen gesagt, er hätt erfahren, ich sei drauf und dran mir ein richtiges Schloß zu kaufen, und mein Leinenzeug, so schäbig es auch sei, brächte mir anscheinend doch mehr als genug ein, so daß ich nicht nach jeden paar Ellen, die ich geliefert, bräucht um mein Geld jammern bei der Hofkammer und um meine Hypothek; die läge doch sicher und wohl verwahrt bei der Monturkommission. Darauf ich: Da ich ihn schon einmal hätte über einer Schale Kaffee, hätte ich gerne gewußt, ob er meine, daß der Krieg überhaupt noch stattfinden werde, für den die Monturkommission und ich die 50 000 Reserven ausstaffieren sollten; die lässige Art, in welcher er meine absolut brauchbaren Leinwände zurückweise und meine Leute und mich schikaniere, ließen mich eher vermuten, er habe von andren Entwicklungen Kenntnis, und es werde, in diesem Jahr wenigstens und im nächsten, die k. und k. Armee weder gegen Frankreich noch Polen ins Feld rücken, noch gegen Rußland.

Er wäre Soldat, kein Politiker, antwortete er und bewegte, voller Unbehagen, seinen Hintern hin und her auf dem strohgeflochtenen Sessel; und ich dachte, da haben die Knoten beim Hofkriegsrat in Wien dir diesen Kerl geschickt, weil sie sich vorstellten, sie könnten den Joseph Pargfrider zahlen lassen aus seiner Tasche für ihre Fehlkalkulation; oder, das war die andere Möglichkeit, es saßen da einfach Leute bei Hofe, war's der Metternich oder sonstwer, die mit Mißgunst auf mich blickten und auf meine Prosperität und meine bevorzugte Stellung beim Erzherzog Ferdinand, welcher der Generalkommandant war von Ungarn; oder es steckte ein Militär dahinter, einer von der alten Schule, der dem Radetzky was antun wollte auf dem Umweg über mich – wie auch immer, dieser Generalmajor Edler von Neumann, erkannte ich, würde sich nie und nimmer einlassen auf irgendeinen privaten Handel mit mir; der hatte sich ausgerechnet, vielmehr, daß er am schnellsten aufsteigen würde beim Heer und bei Hofe über mein Unglück.

So schrieb ich denn, da ich sonst völlig rat- und hilflos, einen demütigen Brief, »Durchlauchtigster Erzherzog, Gnädigst Hochgebietendster Herr!« in welchem ich den Herrn Erzherzog Ferdinand erinnerte an meinen von ihm höchstselber gebilligten Kontrakt mit der Ofener Monturkommission und an meine pünktlich erfolgten Lieferungen, bestätigt laut beigelegten Empfangsscheinen der Kommission, und den Schaden wortreich beklagte, den ich erlitten, indem ich bis dato noch keinen Kreuzer Bezahlung erhalten, ich aber in Schuld stünde bei meinen Sublieferanten und Webern und anderen, und so gezwungen worden wäre, die mir von den Untergebenen des Generalmajors von Neumann unter den empörendsten Vorwänden retournierten Leinwände und anderen Stoffe, von denen man die bereits angebrachten Qualitätsstempel willkürlich abgeschnitten, zum halben Preis und noch weniger an Private zu verkaufen, und ich auf diese Art unschuldig den größten Schaden erlitten, da auch trotz der erzherzoglichen Anordnung zu einer Zeit, wo ich schon das ganze kontraktlich vorgesehene Quantum an Stoffen für Kittel in der Kommission zur Abgabe liegen hatte, die Annahme kontraktwidrig verweigert wurde und mir so alle Mittel zur Auslieferung genommen waren und so fort.

Mein Atem wird mir schon kurz, wie ich hier sitz an meinem Schreibtisch, in Erwartung der großen Leiche, und die Kränkungen rekapitulier und die Schädigungen und Beleidigungen, welche ich dem Erzherzog in meinem Briefe aufgezählt; danach habe ich ihn an die Zeugnisse erinnert, welche sich in Höchst Seinen gnädigsten Händen befänden und aus denen er ersehen könne, daß mich niemals in all meinen über siebenundzwanzig Jahre hin mit dem Ärar getätigten bedeutenden Geschäften besonderer Eigennutz oder Gewinnsucht geleitet, ja, ich überdies schon zu Zeiten der Napoleonischen Invasion wesentliche Dienste für die Österreichische Armee geleistet und dazu noch 50 000 Gulden in cassa als Kriegsbeitrag gespendet; und hab ihn zum Schluß untertänigst gebeten, die Ausgleichung und Bezahlung meiner Lieferungen anzuordnen wie auch die Rückerstattung meiner Kaution, nachdem ich meinen Kontrakt mehr als erfüllt, damit mein ehrlicher Name und Kredit aufrechterhalten bleibe und ich nicht ganz zugrunde gerichtet würde.

Ich weiß, mein Brief hat gewirkt – auf den Erzherzog wenigstens. Ich weiß, er hat angewiesen, sie sollten Kulanz üben gegen mich bei der Ofener Monturkommission; aber der General Neumann muß Hintermänner gehabt haben, durch welche er sich stärker gefühlt hat sogar als der Erzherzog; und so häuften sich die Schikanen erst recht, meine noch zu erfüllenden Lieferungen wurden in toto zurückgewiesen und die längst fälligen Zahlungen an mich weiter einbehalten, von der Rückgabe der Hypotheken, die ich als Garantie hinterlegt, gar nicht zu reden. Nun ist das Geschäft mit dem Staat, ich selber hab's oft genug praktiziert, kein Damenkränzchen; es ist ein Hauen und Stechen und Würgen, fast wie auf dem Schlachtfeld, und Ritterlichkeit ist das letzte, worauf der Verlierer rechnen kann; vielleicht hatt ich zuviel gewollt, nämlich alles, und allein für mich, und die Neider wehrten sich jetzt, und ich bekam ihre Feindschaft blutig zu spüren. Ein andrer wär vielleicht zurückgekrochen in seine Ecke und hätt seine Wunden geleckt und um Gnade gewinselt, und ich gesteh, mehr als einmal war ich nah dran, es zu tun: ich hatt ein großes Leben geführt und einen Aufstieg gehabt wie selten jemand, aber offenbar gab's eine Grenze für meine Ansprüche, die einem wie mir zu überschreiten nicht gestattet war – einem Hausierer in minderwertigen Tuchen und Fetzentandler, denn was sonst war ich?

Meine Klage beim Militärgericht in Ofen auf 706 826 Gulden 6¼ Kreuzer Schadensersatz, aufgeschlüsselt bis ins einzelne nach Elle und Stück, und zusätzlich für den Verlust, den ich durch Sistierung meiner Hypotheken erlitten, galt bei der Geschäftswelt, und bei der k. und k. Verwaltung und den Militärs, als eine einzigartige Unverschämtheit; aber sie entsprang keiner Hybris sondern der reinen Verzweiflung: ich mußte schon fliehen aus meinen eigenen Häusern in Pest und mich verkriechen in meiner Wetzdorfer Ruine vor den Bösartigkeiten, die mir angetan wurden, denn keinen tritt man lieber als einen, der schon am Boden liegt. Und die Chancen, welche Juristen mir gaben, und ich selber, waren, um das mindeste zu sagen, gering.

Da war's ein wahrer Trost, als der Wimpffen mich beiseite nahm an einem Abend in der Loge Zur Großmuth, bei der ich mich noch zeigen durfte, und mir riet, »Die Zeugen sind's, Zeugen müssen Sie haben, Pargfrider, Zeugen, die aussagen, was Ihnen nützt für Ihre Seite der Causa, je mehr Zeugen, desto besser, denn auch die Richter müssen sich auf was stützen können, und eine Zeugenaussage, ganz gleich wie sie zustande gekommen, ist immer besser als keine.« Und ich hab gedacht, man weiß nie, wann ein bissel Großzügigkeit sich auszahlen wird, und wie gescheit es gewesen ist von mir, daß ich den Wimpffen einquartiert hab in meinem Haus in der Ferdinandstraße 2 in der Wiener Leopoldstadt und ihm den Mietzins gestundet auf unbeschränkte Zeit, weil er noch weniger Geld besessen hat als der Radetzky.

So hab ich mich denn aufgemacht und hab mit verschiedenen Leuten geredet, die ich gekannt hab zum Teil über Jahre schon und von denen ich gewußt hab, daß sie Verständnis haben möchten für meine Nöte, und hab Ihnen gewinkt mit gewissen Vorteilen, die sie haben könnten von mir in der Zukunft: wie dem Peter Raitz, griechisch-unierter Religion, mit welchem zusammen ich Leinwandlieferungen gemacht schon 1813 und 1814 und 1815 und welcher als Haupt- und Werksachverständiger später gedient in der Monturkommission, und welcher bezeugen konnte, daß die Stücke Leinen, die ich dort geliefert, genau und in allen Punkten den kontraktlichen Mustern entsprachen; und Mayer Wolf Wahrmann, israelitischer Handelsmann zu Pest, welcher seine Geschäfte in Tuchen betrieb und dito zu bestätigen imstande sein mochte; und Hauptmann Maximilian Reichel von der Ofener Monturkommission, jetzt pensioniert, katholischer Konfession, welcher meine Ware eigenhändig in Empfang genommen und deren genügende Quantität und Qualität selber geprüft und entsprechend auszusagen in der Lage und bereit war; und Jakob Spitzer, Juwelenhändler, aber auch tätig in Häusergeschäften, israelitischen Glaubensbekenntnisses, welcher bezeugen würde, daß ich meine zwei Häuser in der Lazarus- und der Altgasse in Pest durch seine Vermittlung erworben habe und zu welchem Preise; sowie Martin Szetenay, Hausbesitzer in Pest, katholisch und mir bekannt von verschiedenen Geschäftsangelegenheiten her, der unter Eid erklären würde, daß ich diese meine beiden Häuser im März 1833 wiederum durch Vermittlung des Jakob Spitzer für je 120 000 Gulden an verschiedene ungarische Magnaten hätte verkaufen können, darunter den Grafen Andrassy, daran aber behindert wurde, weil ich auf Grund der auf diesen Häusern lastenden Kaution sie auf einen neuen Besitzer nicht umschreiben lassen durfte, ich später aber wegen der Entwicklung der Grundstückspreise nur noch 60 000 Gulden conventioneller Münze pro Haus erhalten hätte.

Daß ich mich auf die Art verteidigen würde – und es auch in einer ersten Verhandlung tat –, sprach sich natürlich herum, und die Herren beim Hofkriegsrat in Wien begannen zu befürchten, daß das Militärgericht in Ofen für mich entscheiden könnte, und überwiesen noch vor der Hauptverhandlung den Fall Pargfrider gegen Monturkommission an das Militär-Appellations-Gericht in Wien, angeblich weil dort das qualifizierte Personal vorhanden. In Wien aber erfuhr ich, durch einen freundlichen Hinweis, für den ich generös zahlte, die Hof- und Kammerprokuratur habe, auf Grund der Akten, dem wirklichen Herrn geheimen Rat Freiherrn von Eichhoff, dem Präsidenten der k. und k. Hofkammer, zu verstehen gegeben, daß auch hier die Richter nicht in dem gewünschten Sinne entscheiden möchten, und daß ein außergerichtlicher Vergleich mit mir angeraten sein könnte.

Andere Umstände schaffen andere Menschen, und ich war schon ein anderer Mensch, als ich nach nächtlicher Reise bei der Kammerprokuratur in Wien vorsprach zu einer Beratung, wie sie es nannten – nicht länger bleich und geplagt von inneren Ängsten, sondern beseelt von neuem Vertrauen auf die eigene Kraft und meine Fähigkeit zu bestehen, auch gegen übermächtige Feinde. Ein gewisser Bergmayer, Militär-Appellationsrat, der sich offensichtlich nicht sehr wohl fühlte in seiner verstaubten Haut, blätterte in einem Aktenkonvolut, in welchem ich die Aussagen erkannte, die ich dem Gericht in Ofen beigebracht, und sprach davon, daß der Kammer-Prokurator von seiten des Generalmajors Neumann und anderer Beamter und Offiziers der Ofener Monturkommission Zeugnisse im Widerspruch zu diesen in Menge vorlägen, weshalb man beim Appellationsgericht langen und schwierigen Verhandlungen entgegensähe, mit entsprechenden Kosten, die ebensogut mir wie dem Ärar zu Lasten gehen könnten: man möchte darum, auf seiten des Gerichts, einem Vergleichsangebot nicht abgeneigt sein, falls ich ein solches vorlegen wollte.

Der Vorschlag, mit Räuspern und Stockungen vorgebracht, mußte die Herren viel Selbstüberwindung gekostet haben; und ich war sehr versucht, den Shylock zu spielen und nach allem, was man mir angetan, mein Pfund Fleisch zu fordern; dennoch war meine ruhige Überlegung stärker als der Sturm meiner Gefühle: wenn ich den Ärar in all seiner Macht gegen den Leinen- und Zwillichhändler Pargfrider abwog, ergab sich ein deutliches Ungleichgewicht, und außerdem hatte, wie mir bekannt, auch Shylocks Fall vor Gericht böse geendet. So sagte ich denn, ich stünde bereit, ihren Vorschlag zu hören – was böten sie mir denn?

»Nein, das nun doch nicht!« kam es empört von dem Herrn Militär-Appellationsrat. Ich hätte ja wohl gar keinen so unmäßigen Schaden erlitten, wie ich behauptet, da ich ja die von der Montur-Kommission zurückgewiesenen Stoffe an private Hand verkauft, und nicht sie seien in Beweisnot, sondern ich, und ihr Anerbieten an mich sei eine wahre Vergünstigung, allein zuzurechnen meiner in der Vergangenheit bewiesenen loyalen Haltung – aber natürlich könnten wir auch die Causa ausfechten bis zum bitteren Ende, welches vermutlich eher zu meinen Ungunsten ausfallen würde als zu denen des Ärars, und was dergleichen drohende Sprüche mehr: sie hatten sichtlich beschlossen, wenn sie schon klein beigeben mußten, ihr Gesicht zu wahren, sie waren der Staat, und der Staat bittet nicht um Gnade bei seinem Untertan.

»Gut«, sagte ich denn, und zog einen Zettel aus der Tasche, den ich vorbereitet hatte in kluger Voraussicht, »Sie wollen ein Angebot von mir. Hier also: ich habe geklagt auf 706 826 Gulden 6¼ Kreuzer conventioneller Münze. Wenn ich davon abziehe, was mir durch die Verkäufe zu niederem Preis zufloß, zu denen man mich gezwungen, und andererseits den Zins hinzurechne, der mir verlustig gegangen in den Jahren, da die Hypotheken auf meine Häuser, als Kaution hinterlegt, mir nicht verfügbar, bleiben von der eingeklagten Rechnung Summa 292 756 Gulden durch den Ärar an mich zu zahlen.«

Ich sah die Mienen der Herren mir gegenüber, und die Ablehnung, die darauf abzulesen, und ich fühlte mich sehr allein, und lächerlicherweise kam mir der Handel in den Sinn, welchen ich mit dem Kreishauptmann Csikann geführt um Schloß Wetzdorf, und ich dachte, was für Zeiten sind das, in denen, und was für Menschen, unter denen wir leben, und sie sagten, 100 000 sei ihre beste Offerte, und ich sagte 200 000 und keinen Kreuzer weniger, und sie sagten, aber das sei dann auch alles und keinen Kreuzer mehr; allerdings müßten sie's dem Hofkriegsrat noch vorlegen zur Billigung, und der wiederum würd's Seiner Majestät dem Kaiser vorlegen, und ich sagte, ich gäb ihnen sechzig Tage, und sie sagten, sie würden versuchen, die Sache glücklich zu Ende zu bringen bis dann, der Name Pargfrider sei ihnen schon wie ein einziger Mißklang im Ohr, und sie hofften, ihn nie wieder hören zu müssen.

Im kaiserlichen Reskript heißt es dann: »Der angetragene Vergleich kann unter der Bedingung geschlossen werden, daß Pargfrider auf jede weitere Forderung aus dem in Frage stehenden Lieferungsgeschäft förmlich Verzicht leiste.«

CAPUT XI

Meine Entwicklung überdenkend, was mir wohl ansteht zu diesem Zeitpunkt, seh ich zwei tiefe Einschnitte, quer zu dem ganzen Bereich meines Lebens sich hinziehend, Klüften ähnlich, wie sie ein gigantisches Beben der Erde erzeugt: der eine Einschnitt markiert den Ausgang jenes Verfahrens, das ich im Jahre 1837 gegen den Ärar angestrengt in Sachen meiner Lieferungen an die Ofener Monturkommission, der andere den Tag dieser Woche, runde zwanzig Jahre später, an welchem wir die sterbliche Hülle meines großen Freundes Joseph Radetzky in meine Gruft senken werden hier auf dem Heldenberg zu Klein-Wetzdorf. Alles veränderte sich nach jenem Militärgerichtsurteil, damals, und nichts wird je sein wie in früheren Zeiten, nach diesem Begräbnis.

Dabei stellen sich beide Begebnisse, biographisch gesehen, gleich dar, als Siege des Joseph Pargfrider, ehrbaren Kaufmanns und nunmehr Herrschaftsbesitzers in Wetzdorf. Aber obwohl ich obsiegt hatte über alle Widerstände, als deren Verkörperung der Generalmajor Neumann gelten mochte, damals, und heute der Graf Grünne am Wiener Hofe, und ich meinen Part als einzig kontraktlich berechtigter Lieferant von Leinen und anderen Stoffen an die k. und k. Armee im Königreich Ungarn, nunmehr bestätigt durch höchste Autorität, in aller Ruhe hätte weiter spielen können, und heute als kaiserlicher Komtur und Träger des Franz-Josephs-Ordens, war mir die Lust und Leidenschaft, mit der ich meine Geschäfte bis zu jenen Daten geführt hatte, vergangen: ein Sieg, wie es scheint, erschöpft auch den Sieger. Statt dessen ließ ich nach meinem Erfolg bei Gericht meinen Handel, eingerichtet selbstverständlich zu meinem Nutzen und Gewinn, von loyalen Agenten betreiben und von Kontoristen, die ich regelmäßig zu beaufsichtigen wußte, und widmete mich in der Hauptsache der Anlage und Verwaltung meiner Kapitalien sowie – und dieses mit größtem Vergnügen – der Bewirtschaftung meiner Wetzdorfer Ländereien, wobei ich, wissend, daß der Mensch nur auf Eigenem und fürs Eigene mit vollem inneren Eifer arbeitet, meinen Bauern den Pachtzins für ihre Äcker erließ, sehr zum Ärger meiner zumeist adligen Gutsnachbarn und der Äbte und Bischöfe im Umkreis, die bis dahin, wie die Läuse im Pelz, ihren Zehnten auch noch aus den Abgaben meiner Bauern an mich, ihren Grundherrn, gesaugt hatten und nun prompt ihre frommen Gebete für mein leibliches und geistiges Wohlergehen einstellten. Und nicht nur verzichtete ich auf die Pachtzahlungen der dem Gut Wetzdorf untertänigen Bauern, ich entlohnte die Tölpel und Saufbolde auch noch in guter Münze für Leistungen, welche sie für mich und auf meinem Boden erbrachten und welche sie anderswo als Pflichtdienst hätten liefern müssen, ich gab ihnen kleinere Summen zur Reparatur oder zum Neubau ihrer Behausungen und stellte ihnen, frei und gratis, moderne Geräte zur Verfügung, wenn sie nur tüchtig und gewissenhaft arbeiten wollten: französische Rebscheren, welche ich aus dem Tal der Rhone mir schicken ließ und die den Leuten den mühsamen Gebrauch des Messers an den Weinstöcken ersparten, und eiserne Pflugscharen modernster Fasson aus der Fabrik in Mähren, an welcher mein Freund Radetzky beteiligt war, bis ihm sein geringes Geld ausging.

Was mir sonst noch an Zeit blieb, nutzte ich für die Restaurierung meines Schlosses und dessen Ausgestaltung, innen wie außen, und für Geselligkeit und Vergnügungen, und für Reisen, letztere zumeist zu Studienzwecken, denn seit je hatte ich die

Lücken in meiner Bildung und deren Mängel schmerzhaft empfunden. Was mir an Zeit blieb, sagte ich. Zum ersten Male wurde
mir bewußt, wie arm mein Leben gewesen war, arm an Gefühlen
vor allem, da ich so gut wie meine gesamte Tätigkeit, allerdings
mit rechtem Erfolg, nur dem eigenen Fortkommen gewidmet.
Ja, auch Gefühle erfordern Zeit, Zeit und Hingabe; sie sind mehr
als eine Fußnote im Buch des Lebens, und es verhält sich in der
Beziehung zu den Menschen wie mit der Haltung zum Besitz:
es ist ein Unterschied, ob ich befaßt bin mit ein paar Mietshäu-
sern, welche in der Hauptsache ein Mittel zu rascher Bereicherung, oder einem Stück Boden, welches der Natur dient zu
ihrem Gedeihen, und Bauten darauf, in denen Kunst und Geschichte sich darstellen.

So rückten denn, zugleich mit Schloß Wetzdorf, auch Frauen
in den Mittelpunkt meiner Welt. Bis dahin hatte ich die Existenz
des weiblichen Geschlechts auf simpelste Weise als Fakt des Lebens betrachtet und Frauen keines tieferen Nachdenkens für
wert gehalten; Adam noch hatte seine Rippe hergeben müssen,
um die Eva zu kriegen; ich brauchte weder Knochen noch anderes Wertvolle zu opfern; bei meiner nicht gerade seßhaften
Lebensweise liefen Frauen genug, leichtschürzig oder nicht, mir
über den Weg, und stets stellte ich fest, daß ich ihr Gefallen zu
erregen schien; jedenfalls fiel es mir nicht schwer, besonders
wenn ich ein paar wohlbedachte Geschenke darbot, die eine
oder andere von ihnen zu gewinnen und mir auf diese Weise
einen wahren Musterkatalog zusammenzustellen über Wesen
und Wünsche der Weiber, und über die Art der Genüsse, die
man durch sie und mit ihnen haben konnte: einen Katalog, der
mir über die Jahre gute Dienste geleistet. Erst Anna Liane, welche ich Heimat, Familie und ihrem Theater entrissen und mit-
geführt – nicht daß es meinerseits großer Überredungskünste
bedurft hätte –, weigerte sich, dem üblichen Schema zu entsprechen; obwohl ich ihr mehrmals eine bezahlte Rückreise samt

einem kleinen Kapital zum Wiederanfang in Italien angeboten, erklärte sie standhaft, sie zöge es vor, in meiner Nähe zu bleiben, zu meinen Diensten, ob als Geliebte, Freundin, Hausfrau, Harfenistin, ja, als Magd sogar, wenn ich so wünschte; als sie ihre gewohnte Umgebung aufgab, habe sie gewußt, daß es von da an nur mich geben würde in ihrem Leben, ich könne sie töten, aber nicht vertreiben.

Ich gestehe, ich war bewegt durch Anna Lianes Worte, die ihr zweifellos von Herzen kamen; zwar war sie lästig in ihrer hartnäckigen Demut, oder demütigen Hartnäckigkeit, aber sie war auch bequem; und sie stellte kaum Ansprüche. Nach dem Ankauf von Wetzdorf placierte ich sie in einer Art Appartement im hinteren Flügel des Schlosses, ein paar bescheidene Kammern, welche sie sich alsbald nach ihrem Geschmack einrichtete, und lud sie, wenn ich meiner einsamen Mahlzeit müde war, zum Diner; sie begriff mit Leichtigkeit, was verrichtet werden mußte drinnen im Schloß wie draußen, und erkannte, wo sie mir und meinen Zwecken nützen konnte durch ihrer Hände Zugriff oder als Aufsichtführende über Personal und Hilfskräfte, oder indem sie, unaufdringlich aber im rechten Moment, eigene Ideen beitrug zur Lösung der Probleme, welche sich bei der Wiederherstellung eines so großen Komplexes wie Wetzdorf mit seinen Wirtschaftsgebäuden und Gärten und Parks, seinen Straßen und Äckern und Weinbergen in Vielzahl ergaben; kurz, ob sie's nun so geplant oder nicht, sie machte sich binnen kurzer Frist unersetzlich und wurde, ohne daß ich sie je direkt und in aller Form bevollmächtigt, zu meiner Stellvertreterin, die, da man ihres wahren Einflusses auf mich nicht sicher, mehr galt als selbst der Ferdinand Nittel, mein ordentlich bestallter Verwalter.

Noch wurde fleißig gebaut am Schloß; nach den Maurern und Zimmerleuten waren die Dachdecker und Rohrleger am Werk, denn ich ließ, englische technische Schriften durch eigene Angaben variierend, einen Mechanismus einbauen, welcher, in Gang gebracht durch die Hitzeentwicklung bei einem Brande, unter dem Dach gespeichertes Wasser aus einem Netz von Röhren in die weiter unten liegenden Räumlichkeiten sprühen und die Flammen dort ersticken würde; und die Tapetenhänger aus Stockerau waren damit beschäftigt, die feinen Tapeten anzubringen, die ich aus Paris bestellt, und die Parkettleger legten meine Fußböden nach den elegantesten alten Entwürfen, die ich selber gewählt, mit den schönsten Hölzern aus; Preis spielte keine Rolle – noch also war alles im besten Flusse, da bat ich schon Radetzky und Wimpffen zu Gast, denn ich hatte erfahren, daß ersterer von seinem wenig befriedigenden Posten als Kommandant der Festung Olmütz abgelöst werden sollte, um auf besonderen Wunsch einer hohen Stelle die Armee in Italien aus ihrem Schlendrian zu reißen – Kaiser Ferdinand, der Nachfolger Franzens, hörte ich, sei sogar bereit, ihm einen Teil seiner Schulden zu zahlen, um ihm seine neue Aufgabe schmackhaft zu machen und deren Erfüllung zu ermöglichen; aber Ferdinand galt, nicht nur deshalb, als Sonderling.

Verständlich, daß ich die Zusammensetzung des Menus und den Service mit Anna Liane besprach, aber ich wies sie auch an, sich so weit wie es ginge aus dem Wege zu halten: sei sie doch weder meine Partnerin noch meine Lebensgefährtin, und ich wünschte nicht, daß sie bei den zwei Militärs, beabsichtigt oder nicht, den Eindruck erwecke, als strebe sie nach derartigem. Ich befürchtete eine weinerliche Szene; aber ihre Miene behielt Contenance, und sie sagte mit ruhiger Stimme, sie sei sich ihrer Rolle in diesem Schlosse bewußt und werde meinen Erwartungen durchaus entsprechen, obwohl sie, von mir selber vor allem, viel Lobenswertes über Radetzky gehört und dieses gerne mit eigenem Auge bestätigt gesehen hätte. Auch sei sie, da er denn nun nach Italien ginge und sie Italienerin, um so mehr an dem Manne interessiert, der in der Zukunft das Schicksal eines so großen Teils ihrer Heimat und ihres Volkes bestimmen werde.

Dann erhob sie sich, trat auf mich zu, schlang, mir völlig unvermutet, ihre Arme um mich und flüsterte, auf italienisch, das ich in Maßen beherrsche, »Joseph, ich bekomme ein Kind«, und fügte in normalem Ton und in deutscher Sprache hinzu, daß ich wohl keinen Zweifel daran hegen könne, wer der Vater sei, und wie glücklich sie sich schätze, daß sie einen Bambino von mir im Leibe trage.

Ich gebe zu, daß ich, das Beispiel meines Freundes Radetzky vor Augen, welcher neben seiner ehelichen eine beträchtliche Zahl illegitimer Kinder gezeugt, zu verschiedenen Malen die Befürchtung gehabt, Ähnliches könne auch mir zuteil werden – vorher durch andere Weiber und jetzt durch Anna Liane –, und stillschweigend erwartet habe, die Frauenzimmer möchten genügend gebildet und verantwortungsbewußt sein, sich und mich vor den Folgen unserer Vergnügungen zu schützen; nun aber kam diese neue Information zu meinen geschäftlichen Veränderungen und meinen Sorgen um Wetzdorf hinzu, mich zu beunruhigen, und ich wußte Anna Liane im Moment nichts Besseres zu raten als einen Besuch in Wien bei meinem Arzte, dem Dr. Wurda im Löwenthalischen Hause, da die weisen Weiblein in den Dörfern um Wetzdorf und die Quacksalber in Stockerau und Horn wohl kaum unser Vertrauen verdienten; ich hatte meine Mutter im Sinn, die bei der Geburt meines Geschwisters im Kindbett verblutet war und mich für mein Leben dadurch im betrauernswertesten Sinne geprägt hatte.

Wie's der Zufall wollte, fielen die Visite Anna Lianes bei Dr. Wurda und der Besuch der beiden Kriegshelden in Wetzdorf auf zwei aufeinanderfolgende Tage, so daß ich hin- und hergerissen war zwischen der freudigen Erregung, mit welcher ich meine Gäste begrüßte, und der nicht ganz so freudigen über die Nachricht des Arztes, in einem Briefchen mir eigenhändig durch Anna Liane überreicht, daß ich, wenn alles sich günstig anließe, der glücklichen Niederkunft einer gesunden Mutter mit einem gesunden Kinde entgegensehen könne; was noch akzentuiert wurde durch der künftigen Mutter trotzige Versicherung, sie dächte gar nicht daran, sich und unserem – unserem! – Kinde etwas antun zu lassen.

Man stelle sich meinen inneren Zustand vor: ein Teil meines Hirns bekümmert durch das Wissen um den anscheinend unvermeidlich kommenden Familiensegen, während der andere Teil sich an den Äußerungen der Bewunderung labte, mit welcher die zwei Feldherren und Logenbrüder mein Schloß und was sonst alles dazugehörte wahrnahmen. Nun mochte es sein, daß Radetzky wie auch Wimpffen dabei nicht nur an mich dachten und an die Freude und Genugtuung, die ich empfinden mußte über meine Erwerbung und deren Möglichkeiten; nein, ich nahm schon an, daß sie beide zugleich auch überlegten, was an für jeden von ihnen Nützlichem aus meinem neuen Besitz erwachsen möchte – als mindestes zunächst ein halbwegs sicherer Tagungsort für die hier in den österreichischen Kronländern polizeilich verbotene Freimaurerloge oder, falls ich mich dazu bewegen ließe, auch für die noch tiefer im Dunkel operierenden Rosenkreutzer, zu denen sie beide, wie ich inzwischen erfahren, gleichfalls ihre Bindungen hatten. Aber daß sie einst hier, auf meinem Besitz, in meiner Gruft sich beisetzen lassen würden, nein, daran dachte mit Gewißheit noch keiner von ihnen, und ich ebensowenig.

Vielmehr schwärmten wir von Familienfesten – bei allen Schwierigkeiten Radetzkys mit Franziska Gräfin Strassoldo, seiner Gattin, liebte er seine Kinder und Enkel sehr und empfand mit großer Bitterkeit, daß er ihnen an Spielen und Vergnügungen nicht geben konnte, was ihnen nach seinem Empfinden gebührte –, Schloß Wetzdorf, war es einmal nach meinen Maßgaben, die ich ausführlich darlegte, instandgesetzt, bot da alles, was man sich nur wünschen konnte, ganz abgesehen von den Salons und andren Gemächern, in denen ein paar ältere Herren, von Kriegsspielen erschöpft, in Seelenruhe und freundlicher Unterhaltung, und reichlich versehen mit guten Weinen und Cognacs, sich ihrem Zeitvertreib hingeben konnten. Ich jedenfalls versprach ihnen, ich würde, obwohl wir noch ganz am Anfang der Durchführung meiner Pläne, Sorge dafür tragen, daß sie in den nächsten Tagen wohlverpflegt und gut gebettet alle Reize genießen würden, welche eine auf das geistige wie körperliche Wohl der Gäste bedachte Freundschaft da gewähren konnte; wo sie noch Provisorisches fänden, möchten sie's großmütig verzeihen, ich gäbe mir Mühe, das Beste, was verfügbar, zu offerieren. In späterer Zeit, kündigte ich an, würde dann auch jeder von ihnen im Obergeschoß des Schlosses sein eigenes, aufs bequemste eingerichtete Zimmer sein eigen nennen, wo seine Kleider und Accessoires auf ihn warten würden, wann immer er nach Wetzdorf zu kommen und, wie lange auch, zu bleiben wünschte; für mich wäre die Gesellschaft der größten lebenden Krieger der österreichischen Armee eine solche Ehre und Freude, daß ich alles dafür hingeben würde, was sich an Geld und Geldeswert in der mit Ebenholz verkleideten stählernen Truhe fände, welche sie dort an der Wand meines Napoleonzimmers sähen.

Es war wohl nicht zu vermeiden, daß sie Anna Liane begegneten; in der Tat trat sie, just als ich die zwei durch jenen Teil des Schlosses führte, aus ihrem Appartement, und ich bemerkte das plötzliche Interesse, mit welchem Radetzky sie musterte, um sie darauf mit einer galanten Verbeugung passieren zu lassen und mich sofort zu fragen, wer denn das reizende Schloßfräulein sei, das ich mir da zugelegt, und warum ich sie vor ihm und Wimpffen verborgen gehalten hätte bis jetzt. Ich murmelte eine Entschuldigung, in welcher das Wort Haushälterin mehrmals vorkam, und hoffte, die Angelegenheit damit abgetan; doch als nach einem reichlichen Abendessen, von welchem Anna Liane, wie ich mit ihr verabredet, sich fernhielt, wir drei Herren uns zu einem meiner Ungarnweine und einer Partie Tarock in das noch nicht völlig eingerichtete Spielzimmer zurückgezogen, schlug Radetzky das Thema wieder an und meinte, die Gegenwart einer solchen Schönheit, einer italienischen noch dazu, wie ich vorhin erwähnt hätte, möchte eine entschiedene Bereicherung unserer kleinen Zusammenkunft sein, und ob ich sie nicht herbeibitten könne.

Was blieb mir übrig, als einen der Hausburschen, die ich, da mein Personal noch nicht komplett, als Kellner hatte aushelfen lassen, mit der entsprechenden Botschaft zu ihr zu senden; nach einer Weile, die mir ungehörig lang vorkam, erschien sie dann, in einem langen fließenden Gewand, purpurn mit goldener Bordüre, eine Neuanschaffung offenbar, welche ihr ein wahrhaft fürstliches Aussehen gab – und im Arm ihre Harfe. Auch ohne das Instrument hätte sie von dem Moment ihres Auftritts an den Mittelpunkt unsrer kleinen Gesellschaft gebildet; die beiden Militärs sprangen auf, küßten ihr die Hand und geleiteten sie zu dem gestreiften Kanapee, der Tarockkarten, die bereits verteilt und gehäufelt auf dem Tisch lagen, völlig vergessend.

Radetzky, mehr noch als Wimpffen, bemühte sich um ihre Gunst; sein vom häufigen Aufenthalt in frischer Luft gebräuntes, energisches Gesicht über dem betreßten Kragen seiner hechtgrauen Generaluniform ließ ihn trotz seiner Jahre höchst attraktiv erscheinen, und, wie ich zu erkennen glaubte, verfehlte er auch nicht, auf die künftige Mutter meines Sohnes – denn ein Sohn würde es wohl werden, glaubte ich – einen demgemäßen Eindruck zu machen. Ich wußte nicht, sollte ich Eifersucht empfinden oder Stolz, daß ein solcher Mann sich sichtlich um Anna Liane bemühte – bei meiner distanzierten Haltung ihr gegenüber erschien mir weder die eine noch die andere Empfindung so recht passend. Jedoch wurde ich meines diesbezüglichen Konfliktes enthoben, indem Wimpffen wie Radetzky gleich lebhaft in ihre Hände klatschten und eine musikalische Darbietung, mit Gesang wenn möglich, verlangten. Je mehr Anna Liane sich bitten ließ, desto dringlicher wurden die zwei, bis sie schließlich nach der Harfe griff, diese zurechtrückte, und ihre Hand zum Saitenspiel hob. Nach ein paar Akkorden, die ich noch nie von ihr gehört, begann sie zu singen –

> Nur wer die Sehnsucht kennt
> Weiß, was ich leide!
> Allein und abgetrennt
> Von aller Freude,
> Seh ich ans Firmament…

Ausgedrückt mit solcher Intensität, trieb es Tränen in die Augen der zwei harten Soldaten. Aus dem Herrenabend mit Kartenspiel und reichlichen Getränken, den ich geplant, wurde eine Hommage für meine, wie Radetzky nicht müde wurde sie zu nennen, Haushälterin; dennoch wär ich's höchlichst zufrieden gewesen, als wir schließlich, allesamt ein wenig beschwingt durch meinen Ungarischen, das Bett aufsuchten, wenn nicht in meinem Innersten ein kleiner warnender Gedanke sich gerührt hätte: Hüte dich, Joseph Pargfrider, sonst wird die Frau dich noch völlig umgarnen.

Anderntags sah ich, beim Frühstück, einen irgendwie nicht ganz glücklichen Radetzky, der bemüht war, seine Mißstimmung zu verbergen, und eine Anna Liane, die ihn auffällig umschmeichelte; nachdem die zwei Militärs, mit meinen besten Kutschpferden versehen, sich auf den Weg gemacht über Stockerau nach Wien, nicht ohne zu versprechen, sie würden baldtunlichst ihre Zimmer in meinem Schlosse in persönliche Benutzung nehmen, befragte ich Anna Liane, was denn geschehen sein könnte, daß der sonst immer so heitere, joviale Radetzky so nachdenklich, ja schwermütig gewesen, und ob wir es etwa an Gastfreundschaft hätten mangeln lassen – ich schätzte den General mehr als jeden anderen meiner Freunde und möchte unser Verhältnis in keiner Weise getrübt sehen.

Sie lachte. Unangenehm berührt, verlangte ich die Ursache ihrer Ausgelassenheit zu wissen. Sie erwiderte, sie hätte des Zwischenfalls wohl nie Erwähnung getan, wäre nicht meine direkte Frage gewesen; ich möge also ihre Indiskretion verzeihen. Der von ihr, und mir, so verehrte Radetzky habe, nachdem wir uns alle zur Nacht verabschiedet, eine Viertelstunde vergehen lassen und dann an die Tür ihrer Kammer geklopft, sich unter einem Vorwand Einlaß verschafft, und nach kurzem Getändel sie mit all seiner immer noch beträchtlichen Kraft und Leidenschaftlichkeit zu nehmen versucht; doch sei es ihr gelungen, ihn abzuwehren und einigermaßen zu beruhigen; endlich sei er, unzufrieden mit sich selber, mit der Bemerkung davongegangen, er hoffe, sie werde Schweigen bewahren über die Affäre; sie sei eben ein wahres Teufelsweib, und er trage nicht Schuld daran, wenn sie ihn so stark beeindruckt habe.

CAPUT XII

Von meinen mehreren Italienreisen, den früheren per Pferdekutsche, den späteren aber auf weitaus schnellere und bequemere Art mittels der neuen Eisenbahn, war diese eine der bemerkenswertesten und folgenreichsten; ich will deshalb einige der Begebnisse und Begegnungen hier aufzeichnen, welche ich in ihrem Verlauf erlebte.

Radetzky war noch kein Jahr in Mailand, als mich seine Botschaft erreichte, es gäbe da Punkte, mir und ihm gleichermaßen von Interesse, welche sich besser in vertraulichem Gespräch miteinander verhandeln ließen als brieflich, und ob ich nicht eine Möglichkeit sähe, ihn in seinem italienischen Hauptquartier aufzusuchen – auch könne er dort die herzliche Gastfreundschaft, die er bei mir genossen, aufs eleganteste erwidern, und wenn ich meine schöne Haushälterin mit mir zu bringen wünschte, sei ihm auch das genehm. Der Gute, dachte ich, hat meine schöne Haushälterin mehr im Sinne als meine herzliche Gastfreundschaft und meint wohl, die Anna Liane würde mir schon, sobald sie von meinem italienischen Vorhaben erführe, genügend Gründe ins Ohr träufeln, damit ich sie mitnähme in ihr geliebtes Heimatland – wo er dann, umgeben von seinem degenklirrenden Stab, sie ganz anders zu beeindrucken imstande sein würde denn als nächtlicher Bittsteller zwischen den kahlen, noch unfertigen Wänden einer Schlafkammer in einem Seitenflügel meines Schlosses.

Meine Reise jedoch gestaltete sich nicht so wie Radetzky,

meinem mißtrauischen Denken zufolge, sie sich vorgestellt haben mochte; zwar fuhr ich in weiblicher Gesellschaft, doch war meine Begleiterin nicht das Schloßfräulein von Wetzdorf, sondern seine eigene Tochter Friederike, die Gattin des Grafen Karl von Wenckheim, welcher dazumal noch beim Stab des Erzherzogs Ferdinand in Pest diente und auf eine Versetzung nach Italien, zu seinem Schwiegervater, hoffte. Die junge Gräfin mußte Kenntnis erhalten haben von ihres Vaters Botschaft an mich, wahrscheinlich ohne den Zusatz über meine Haushälterin, und überraschte mich, unangekündigt, durch ihre Ankunft in Wetzdorf und erkundigte sich, nachdem ich sie durchs Schloß und verschiedenes Sehenswerte in dessen Umgebung geführt, in ihrem beiläufigsten Tone – auch noch in Gegenwart von Anna Liane –, ob ich in der Lage und bereit wäre, sie zu ihrem Vater in Italien zu eskortieren: Graf Karl sei unabkömmlich beim Erzherzog, den man ja, da er Generalkommandant von Ungarn, selbst als Schwiegersohn von Radetzky nicht brüskieren könne.

Das Mienenspiel meiner Anna Liane, die erst durch Fritzi Wenckheims plötzliche Visite von meinen Reiseplänen erfahren, war deutlich; bis dahin hatte sie wohl geglaubt, daß sie es sei, wenn irgendeine, die verdient habe, zusammen mit mir ihre Heimat besuchen zu dürfen; mich aber sah ich, in den Bildern meiner Phantasie, zwischen zwei attraktiven Weibern auf dem Polstersitz einer weich gefederten Expreßkutsche durchs Tirol entlang des Gardasees ins Norditalienische schaukelnd, und nachdem wir des Abends reichlich getafelt, von dienstfertigen Gastwirten zu den schönsten Zimmern des Hauses geleitet – stets nur das Beste für Pascha Pargfrider; allerdings sagte meine skeptische Vernunft mir, daß die mißgünstigen Götter einem wie mir solche Genüsse kaum gestatten würden, und daß ich am Ende nichts in meinen Händen halten würde als einen Beutel Pech.

Außerdem mußte ich verhüten, besonders damals, da sie ein

Kind von mir trug, daß sich in Anna Lianes Kopf die Idee verfestigte, sie habe irgendwelche Anrechte auf mich. So nahm ich sie denn beiseite an dem Abend, nachdem die Fritzi uns wieder verlassen, und bedeutete ihr auf die liebenswürdigste Weise, daß ich, nachdem ich die Gräfin Wenckheim schon bei mir hätte, keine zweite Reisegefährtin, oder wie man's auch nennen wolle, zusammen mit mir nach Italien führen würde. Sie, Anna Liane, kenne meine mehr als freundschaftlichen Gefühle ihr gegenüber und die Rolle, die ich im Verhältnis zu mir ihr zugebilligt; jenseits dessen gäbe es nichts, so hart sie das auch ankommen möge. Und sowieso sei in ihrer delikaten Kondition eine längere Fahrt über die holprigen österreichischen Heerstraßen nicht ratsam, sie müsse sich jetzt schonen, und im übrigen bräuchte ich sie, bei dem gegenwärtigen Stand der Arbeiten, in Wetzdorf: da sie nun einmal im Verständnis des Personals, der Handwerker, sowie der örtlichen Bevölkerung als meine Vertreterin gelte, möge sie nun auch während meiner Abwesenheit als solche tätig sein.

Sie senkte ihren Kopf und verhinderte so, daß ich erkennen konnte, ob sich in ihrem Auge nicht wenigstens ein Anflug von dem Haß zeigte, den Worte wie die meinigen bei anderen Frauen in gleicher Situation wohl erzeugt haben mochten. Jedoch war da, als sie wieder aufblickte, nur ein Ausdruck von allesverzeihender Güte und Geduld, der mich an die Altargemälde gewisser heiliger Frauen gemahnte und entsprechende Ungeduld, ja, Ärger, in mir erregte. Auch der Abschied von ihr, etliche Tage später, verlief, obwohl ich Ungemach erwartet hatte, ohne größere Gefühlsausbrüche, und als ich die Fritzi, wie verabredet, in Wien traf, war ich in meinem Herzen schon so weit weg von meiner Anna Liane, daß ich sogar Vorfreude auf die Fahrt übers Gebirge empfinden konnte.

Reisebeschreibungen, speziell über Italien, gibt es die Menge; die liebste ist mir, weil voll der trefflichsten Beobachtungen, die von Goethe; ich kann mir also eine eigene ersparen und erwähne nur die Momente von persönlicher Bedeutung für mich. Da wäre der Halt in Padua, in welcher Stadt sich die ehrwürdige Universität befindet; dort genossen Fritzi und ich vor der Tür einer Trattoria am Rande des großen Platzes, Prato della Valle genannt, eine Platte auf die schmackhafteste Art zubereiteter Fische, dazu mehrere Bouteillen eines excellenten Landweins. Nun ist dieser Platz, ein wohlgestaltetes Oval, ringsum von Bildsäulen umgeben, welche die Berühmtheiten darstellen, die an dieser Universität gelehrt oder studiert haben. Auch Nichtbürgern der Stadt, sogar Ausländern, ist es gestattet, irgendwelchen Personen ihrer Wahl Gedenkbilder hier zu errichten, solange nur glaubhaft belegt werden kann, daß der Dargestellte in irgendwelchen Bindungen zur Universität von Padua gestanden hatte.

Dieses wurde uns in schönstem Wiener Tonfall von einem jungen, angenehm dreinblickenden Manne erklärt, der am Nebentisch sein einfaches Mahl einnahm und unsere Bewunderung für das mit den Bildwerken bestückte Rund des Prato della Valle wahrgenommen hatte, und er wies uns eine der Statuen, die den berühmten Gustav Adolph darstellte; sie war von einem späteren König von Schweden dort aufgestellt worden, nachdem sich erwiesen hatte, daß der große Kriegsheld einst eine Vorlesung an der Universität mit angehört; auch habe der Erzherzog Leopold zum Ruhme von Petrarca und Galileo deren Abbilder aufrichten lassen, was immerhin einen gewissen Geschichtssinn seitens des Hochadels zeige. Ich wiederum pries die Art, in welcher die Figuren im Kostüm ihrer Zeit und ohne sonderliche Manieriertheit ganz natürlich dastünden, und meinte, man könne daher wohl auch annehmen, daß sie ihren Originalen, als diese noch lebten, ähnelten. Dann fragte ich, von der Fachkenntnis des jungen Mannes beeindruckt, nach dessen Namen und Metier, und er nannte seinen Namen, Adam Rammelmayer; er sei ein angehender Bildhauer und bereise Italien, um die zahlreichen Werke seiner Kunst hierzulande, die ja zum Teil noch aufs klassische Altertum zurückgingen, sowie die Handfertigkeit von deren Urhebern zu studieren und die verschiedenen Stile, denen diese gefolgt.

Erfreut über die neue Bekanntschaft und gewahrend, daß auch Fritzi Wenckheim Interesse an den Ausführungen des jungen Künstlers zeigte, lud ich ihn an unseren Tisch und ließ mir von ihm über seine italienischen Pläne berichten; er sprach von Rom und vom Einfluß der griechischen Kultur auf die Römer, und wie doch, mehr als durch Malerei, durch die Bildhauerei die Götter und Helden der Alten zugleich mit den großen Leistungen ihrer Schöpfer weiterlebten; und ein veritabler Disput entwickelte sich zwischen uns über Helden und deren Rolle in der Geschichte, und welche Eigenschaften einen Helden auszeichneten, und ob Helden heute überhaupt noch möglich wären. Nachdem auch Napoleon dahingegangen, behauptete Rammelmayer, gäbe es keinen mehr, den sich's in Stein darzustellen lohnte oder auch in Metall, denn die wahrhaft memorablen Gestalten unsrer bourgeoisen Welt seien die Heroen der Finanz und des Geschäftslebens, und der einzig ihrer Büsten würdige Sockel wäre der Geldsack.

Fritzi blickte ihn von der Seite her an, ungewiß, so schien es mir, ob sie seinem revolutionären Geist Beifall zollen oder ihn belächeln sollte; dann sagte sie, er säße just neben einem dieser modernen Heroen und möge mich nur recht gründlich betrachten, vielleicht sogar skizzieren, falls ihm einmal der Auftrag zuteil würde, mich auf meinem Geldsack thronend abzubilden.

So war sie, und ich muß gestehen, ich liebte sie so ob ihrer Ironie, obwohl diese auf Kosten eines armen Burschen ging, der nicht zu den Kreisen gehörte, in welchen man wußte, wer Joseph Pargfrider war, und der nun erbärmlich zu stottern begann; ich beschloß, ihn zu retten, indem ich die Bedeutung meiner Person mit einer Handbewegung minderte und danach ernsthaft zu argumentieren begann, daß ich, seit langem ein Verehrer Napoleons, sehr wohl auch heute noch echte Helden sähe, allerdings Helden des Geistes und der Kunst eher, welche durchaus verdienten, als Büste verewigt ins Gedächtnis der Nachwelt zu gelangen und dergestalt in späteren Jahrhunderten noch vorbildhaft auf diese zu wirken; und praktisch denkend wie stets, wollte ich von ihm wissen, wieviel Honorar er denn wohl fordern würde für eine Statue, so lebensähnlich wie möglich; für das Material, sei es Marmor oder Bronze, käme ich auf.

Tatsächlich war mir angesichts des Runds, in welchem wir hier in Padua auf dem Prato della Valle saßen, der Gedanke gekommen, daß inmitten eines gepflegten Hains nah meinem Schlosse eine steinerne Arkade ausgesuchter Geistesgrößen, von Homer und Plutarch über Shakespeare und Descartes bis hin zu meinem Landsmann Mozart und dem greisen Goethe, eine schöne Sehenswürdigkeit sein möchte, die mich als Förderer der Künste und der Allgemeinbildung des Volkes gültig ausweisen würde, wie ich denn sowieso, wenn auch noch nicht in tätigem Ernst, schon vor Beginn dieser Reise nachzusinnen begonnen hatte über die Ausschmückung des Parks und der näheren Umgebung meines Schlosses mit Standbildern, Zierbrunnen, Tempelchen und dergleichen. Rammelmayer jedoch mißverstand meine Frage nach dem Preis seiner Arbeit, oder es staken noch ein paar Nachklänge von Fritzis ironischem Vorschlag in seinem Ohr: kurz, er fragte zurück, »Bar?« und nachdem ich erwiderte, »Auf die Hand«, musterte er mich von Kopf bis Fuß und meinte, es fänden sich in meinen Zügen eine Menge Unebenheiten, welche das Gelingen einer Porträtbüste erschwerten.

»Lieber Rammelmayer«, ich legte ihm meine Hand auf die Schulter, »es geht nicht um ein Abbild von mir – wegen der Menge Unebenheiten in meinen Zügen.«

Sein Gesicht erhellte sich. »Ach – die Dame!« sagte er, und

mit einer kleinen Verbeugung in Richtung von Fritzi, »die Dame mach ich umsonst.«

Da ich mir denken konnte, was er sich von seinem Modell während der Sitzungen oder auch nach diesen erhoffte, warnte ich ihn, »Die Dame ist die jüngste Tochter des großen Feldherrn Radetzky, welcher den letzten Helden, den Sie noch anerkennen, bei Leipzig besiegte.«

Er war erschüttert. »Narr ich!« rief er, »können Sie mir verzeihen, Madame? In meinem kindischen Übereifer hab ich in meinen Ausführungen über propre Helden als Sujets der Bildhauerkunst Ihres Herrn Vaters zu gedenken vergessen!« Er ergriff Fritzis beide Hände und fragte, ob sie ihm verzeihen könne, und erklärte, plötzlich recht geschäftstüchtig, welche Genugtuung es ihm bereiten würde, wenn er, nach Vollendung seiner italienischen Studien, mit seinem armen Talent den Versuch unternehmen dürfte, in dem von uns besprochenen Sinne ein Standbild des einzigen noch unter uns lebenden echten Kriegshelden, nämlich des Grafen Radetzky, zu kreieren.

Fritzi warf mit einem ganz reizenden Lächeln ein, daß nach ihrer Kenntnis ihr Vater sich keineswegs als einen so exemplarischen Helden betrachtete, wie auch der Hof und die ganze Kamarilla hoher und höchster Offiziere im Lande dies nicht täten, andernfalls sie ihn wohl kaum auf so penetrante Art mit ihren Bösartigkeiten verfolgen und benachteiligen würden. Worauf der junge Adept der Bildhauerkunst seiner Empörung über die erwähnte Kamarilla lautstark Ausdruck gab und versprach, sein Bestes zu tun zur Erschaffung einer Bildsäule, an der keiner vorbeigehen könne, ohne im Innersten berührt zu sein.

Dabei schoß sein Blut ihm zu Kopfe, sein Atem kam in kurzen Stößen. Es war mitleiderregend zu sehen, und um weitere Ergüsse seinerseits zu verhindern, nahm ich Zettel und Stift aus meiner Tasche, schrieb meinen Namen darauf und die Adresse, Schloß Wetzdorf, und sagte ihm, ich möchte dort vielleicht einen Auftrag für ihn haben und er solle sich nach gewisser Frist bei mir melden, und jetzt, da die Gräfin Wenckheim und ich morgen in aller Frühe nach Venedig abführen, gute Nacht.

»Venedig!« Er erhob sich gehorsam, doch nicht ohne beim Abschied zu erwähnen, welchen Reichtum an Bildwerken jeglichen Alters und jeglicher Herkunft Venedig enthalte, und daß auch er die Stadt zu besuchen beabsichtige, bevor er, erfüllt mit dort wie anderen Orts gesammelten nützlichen Eindrücken, sich wieder der Heimat zuwenden würde.

Das war deutlich. Doch ich verschloß mich seinem hoffnungsvollen Blick und nahm an, Fritzi würde dies ebenfalls tun; aber zu meiner unangenehmen Überraschung bot sie ihm an, dann könne er ja mit uns kommen und, wenn er in Venedig sich so gut auskenne wie in Padua, uns ein paar von den Schätzen der Stadt zeigen. Was sollte ich tun, als gute Miene zum bösen Spiel machen, um so mehr, als Fritzi, nach der Rückkehr in unser Gasthaus, mich beim Gute-Nacht-Kuß aufs herzlichste um Verzeihung bat; sie hätte den armen Burschen den ganzen Abend lang derart abweisend behandelt, daß sie glaubte, ihn durch diesen kleinen Gefallen, auf Kosten meiner Bequemlichkeit zu ihrem Bedauern, entschädigen zu müssen; wir beide, sie und ich, würden auf dem Rest unsrer Reise, und während der Rückfahrt, noch genügend Gelegenheit zu traulichem Tête-à-tête erhalten.

Den nächsten Morgen, Fritzi und ich waren noch bei unserm Kaffee, stellte Rammelmayer sich in der Tat ein, sein weniges Gepäck und eine große Zeichenmappe unterm Arm; über meinen Träumen in der Nacht, in deren Mittelpunkt die reizende Fritzi gestanden, hatte ich ihn, ich gesteh's, ebenso vergessen wie jeglichen Gedanken an meine Anna Liane und die nahe Ankunft von deren Leibesfrucht. Später würde ich die Erfahrung machen, daß Rammelmayer, wie vom Schicksal gesandt, immer dann bei mir auftauchte, wenn ich ihn am wenigsten erwartete, um mich an meine künstlerischen Vorsätze und Versprechungen zu erinnern und seinen Anteil daran zu heischen; aber da er dies weniger in seinem als in meinem Interesse zu tun glaubte, muß ich's wohl verzeihen. Auch Fritzi schien zu spüren, zumindest nachdem sie Rammelmayers wegen ihren Sitz im Wagen mehrmals zu verändern gezwungen war, daß ihre Bußfertigkeit vom Vorabend nicht unbedingt zu unserm Reisekomfort beitrug; und obwohl Rammelmayer bemüht war, uns nicht direkt zu bedrängen, war seine Präsenz doch lästig genug, da sie die Nähe zueinander störte, welche auf unsrer mehrtägigen Kutschfahrt durch die romantischsten Landschaften und andere gemeinsame Erlebnisse entstanden war.

Schließlich, nach einer kurzen Überfahrt zu Schiffe, trafen wir in der Lagune von Venedig ein und stiegen, alle drei, vom Schiff in die Gondel um, welche uns zu einer für venezianische Verhältnisse recht sauberen Herberge brachte, und wirklich erwies sich Rammelmayer, den ich auch dort einquartierte, als ganz nützlich, indem er Fritzi und mir in den kurzen uns in der Stadt zur Verfügung stehenden Stunden wenigstens einige von ihren berühmtesten bildhauerischen Werken zeigen konnte, darunter die Statuen mehrerer Dogen und, mich höchlichst beeindruckend, die zwei riesigen Löwen vor dem Tor des Arsenals, ganz in weißem Marmor, der eine, auf seine Vorderpfoten gestemmt, sitzend, der andere im Liegen dargestellt: die zwei seien, sagte er, in der großen Zeit Venedigs aus Griechenland hierhergebracht worden – ein Löwe, dachte ich, auf entsprechendem Untersatz, einem klassischen Triumphbogen etwa, möchte auch in Wetzdorf meine Besucher aufmerken lassen.

Sonst hielt sich Rammelmayer, was ich als wohltuend empfand, zumeist höflich zurück; er war wohl auch klug genug, die Vorteile zu sehen, die ihm durch seine Bekanntschaft mit mir erwachsen mochten, um sie nicht durch irgendwelch aufdringliche Gesten oder Bemerkungen persönlicher Art gefährden zu wollen, und so verabschiedete ich ihn denn in der Stunde, da Fritzi und ich nach Mailand weiterfuhren, mit der freundlichen Aufforderung, er möge nicht versäumen, sich baldtunlichst bei mir auf Schloß Wetzdorf einzustellen.

Dies nun war die letzte Teilstrecke unsrer Reise, und ich hoffte auf ein paar gute, vielleicht sogar vertrauensvolle Worte mit Fritzi; wir hatten den Wagen nun wieder für uns allein, und ich ließ ihren Charme ohne Hemmungen auf mich wirken, wohl wissend, daß sich unser beider Wege zu spät gekreuzt hatten, um sich noch miteinander verknüpfen zu lassen: sie hatte ihre Kinder, und ich hatte mich damit abgefunden, wenn ich schon nicht besitzen konnte, was ich für mir gemäß hielt, meine Tage im Ruf eines von Frauen umschwärmten Hagestolzes zu Ende zu leben. Sie war aber so beansprucht von ihren Gedanken an das kommende Wiedersehen mit ihrem Vater, daß sie von nichts anderem sprechen zu können schien; sie kannte seine Differenzen mit ihrer Mutter, der Gräfin Strassoldo, und die Ungerechtigkeiten ihr gegenüber, deren er sich oft genug schuldig gemacht und die in nicht geringem Maße zu dem ihr schädlichen exzessiven Genuß von Wein und stärkerem beitrugen; und doch ergriff Fritzi fast immer Partei für ihn; er erscheine ihr, sagte sie mir, trotz seiner Jahre immer noch wie ein großes Kind, hilflos in Angelegenheiten des Gefühls wie der Finanzen, und jedesmal, wenn sie ihn sähe, sei sie versucht, ihn an ihre Brust zu nehmen und gegen den Rest der Welt zu verteidigen.

Ich, ihre Hand ergreifend, versicherte ihr, wie sehr ich ihren Vater um dieses Glückes willen beneidete; zugleich kam mir in den Sinn, wie der alte Bock versucht hatte, während seines Wetzdorfer Aufenthalts bei meiner Anna Liane ins Bett zu kriechen, und ich lächelte, so fein ich konnte, und fügte hinzu, ich sei überzeugt, daß er sie, seine schöne Tochter, ebenso liebte wie sie ihn. Und als ich Fritzi dann, in Mailand eingetroffen, an mehreren Adjutanten vorbei in Radetzkys Arbeitszimmer geleitet hatte und seinen Händen übergab, derart meinen Auftrag erfüllend, konnte ich selber miterleben, welch inniges Verhältnis die zwei zueinander hatten: mit einem kleinen Jubelschrei flog sie in seine Arme und schmiegte sich an ihn, während er, mit ganz unsoldatisch feuchtem Auge, ihr übers Haar streichelte und sie versicherte, ja, es ginge ihm wieder einigermaßen; sie solle sich nur keine Sorgen machen um ihn, nach langen Jahren im Abseits fühle er sich zum ersten Mal wieder im Zentrum der Dinge und demgemäß schlüge sein Herz von Tag zu Tag ruhiger und stärker: hier, sie möge es selber fühlen.

Bei dem vertraulichen Gespräch, das er und ich den nächsten Tag in seiner Residenz, der Villa Reale, hatten, erklärte er mir, das einzige, was ihn noch bedrücke, seien wie eh und je seine Schulden; zwar habe S.M. der Kaiser versprochen, sich dieser anzunehmen, wenn er, Radetzky, sich einverstanden erkläre, zum Heer nach Italien zu gehen; in Wahrheit aber habe die kaiserliche Kasse seinen zahlreichen Gläubigern nur einen minimalen Bruchteil seiner Verpflichtungen überwiesen, so daß ihm nach wie vor die gute Hälfte seiner Generalsgage zur Schuldentilgung abgezogen würde; und dies zu einer Zeit, da ihm als Oberkommandierenden immer neue große Ausgaben erwüchsen, einschließlich der silbernen Münzen, die er des Morgens den Straßenbettlern vor seinem Fenster zuzuwerfen sich verpflichtet fühle. Sonst aber, Gott sei's gedankt, gehe es ihm spürbar besser, die Störungen seines Gemüts und seine verschiedenen andern Beschwerden fielen von ihm ab, seit er hier in Lombardo-Venetien an der Spitze der Armee stehe, und nicht etwa, weil ihn der Erzherzog Rainer, der Vizekönig am Orte – ein etwas zu eitler, zu schwächlicher Herr übrigens –, sichtlich begünstige, sondern weil er fühle, wie er die Achtung und Liebe seiner Leute erringe, obzwar seine Ansprüche an sie sich stetig steigerten. Mannschaften wie Offiziere müßten eine Menge lernen bei ihm, Taktisches wie Technisches, und er zwinge sie, an sich und ihrem Kampfgeist zu arbeiten, damit eine moderne, schlagkräftige Truppe aus ihnen werde; dafür aber wolle er sie mit dem Besten ausstatten, was an Material und Monturen zu beschaffen sei, und ich möge ihm, sobald ich wieder zurück in Österreich, dabei helfen, indem ich stets daran dächte, daß ich, wenn ich nach Italien liefere, nicht irgendein Heer bediente, sondern seines. Zum Lohn dafür werde er mich stets zur rechten Zeit von seinen Anforderungen informieren, so daß ich meine Vorbereitungen treffen und meine Preise entsprechend einrichten könne; er wisse nur zu gut von dem Prozeß, den ich hätte führen müssen gegen die scheelsüchtige Behörde daheim, um zu meinem Geld zu kommen, und er kenne die Schmutzkonkurrenz in unserm Geschäft und wünsche, daß ich gegen diese mit der gleichen Bravour bestehe wie gegen meine Gegner vor Gericht; ein guter Mann, verkündete er, ob auf dem Exerzierplatz oder im Kontor, verdiene es auch, gut behandelt zu werden.

Ich sah die Vorteile des Geschäfts, das er mir anbot; aber ich sagte ihm – was notabene durchaus der Wahrheit entsprach –, ich sei des ständigen Kampfs um kommerzielle Vorteile müde geworden: zwar würden einkommende Aufträge nach wie vor durch meine Agenten aufs sorgsamste erfüllt, doch bemühte ich selber mich nicht mehr um jede Elle Leinwand und jedes Stück Zwillich, sondern zöge es vor, mein Geld, das ich über die Jahre angehäuft, für mich arbeiten zu lassen; dies tue es auch zu meiner vollen Zufriedenheit, während ich mich meinem eigentlichen Interesse widmete, der ökonomischen, baulichen und künstlerischen Ausgestaltung meines Besitzes in Wetzdorf und dem Verfolg einer gesellschaftlichen Anerkennung, wie sie mir meiner Stellung im Leben zufolge doch wohl zukäme: der Erzherzog Ferdinand in Pest etwa meinte, ich hätte mir einen Empfang beim Hof seines kaiserlichen Vetters in Wien, wenn nicht gar einen Orden samt zugehörigem Titel schon lange verdient. Dies alles jedoch tangiere in keiner Weise meinen Wunsch, ihm, meinem großen Freunde, in seiner prekären Situation zu helfen; er möge mir nur getrost mitteilen, wie hoch die Summe, die ihn aus seiner gegenwärtigen Verlegenheit befreien würde; selbstverständlich werde jedes Darlehen, das er von mir erhalte, unbefristet und zinslos sein; mir liege nur daran, ihm diese höchst unnötige Last vom Herzen zu nehmen.

Nach einigem Hin und Her nannte er mir die benötigte Summe; sie hielt sich innerhalb meiner Mittel und war nicht einmal so erstaunlich hoch, wenn man bedachte, daß sein Schuldenberg sich schon seit seiner Zeit als Husarenrittmeister anzuhäufen begonnen hatte, da er gezwungen gewesen war, seine junge Frau, die von Haushalten keine Ahnung hatte, mit ihren kleinen Kindern in einem eignen Haus zu etablieren.

»Den Rest«, sagte ich, »erledigt die Pester Handels- und Sparbank«; und so erlöst war er, daß er aufsprang, mich umarmte und sich aufs Lebhafteste erkundigte, wie es denn meiner schönen Wetzdorfer Haushälterin ergehe, und weshalb in aller drei Teufel Namen ich sie nicht nach Mailand mitgebracht.

CAPUT XIII

Bevor ich mich, wieder in Begleitung von Fritzi Wenckheim, von Mailand aus auf die Heimfahrt begab, hatte ich noch ein letztes Gespräch mit Radetzky – auch dieses, wie die Redewendung lautet, unter vier Augen. Radetzky begann, indem er Fritzi meiner persönlichen Fürsorge empfahl, und zwar nicht nur während dieser Reise sondern generell: ich wüßte ja, er habe wenig Glück gehabt mit seinen Kindern, vielleicht weil er, als sie noch klein waren und der väterlichen Hand bedurften, immer im Feld oder in irgendwelchen Garnisonen gestanden und so nie die Zeit hatte, sich ihrer anzunehmen, und die Mutter zu jung und zu unausgeglichen und oft auch von Schwermut befallen; jedenfalls seien ihm von den achten, fünf Buben und drei Mädchen, nur ein Sohn geblieben, der Theodor, der jetzt als Major diene beim Generalquartiermeisterstab in Wien, und die Fritzi; der Rest sei verdorben und gestorben; an der Fritzi aber, und an ihren Kindern, hänge nun sein ganzes Herz – darum eben seine Bitte.

Natürlich versprach ich ihm, in allem, was Fritzi betraf, mit Rat und Tat ihr zur Seite zu stehen; auch sei, was ich an Mitteln besäße, jederzeit zu ihrer Verfügung, sie müsse mich nur wissen lassen, was sie benötige, und Wetzdorf könne, wenn sie so wolle, ihr und den Ihrigen eine zweite Heimstatt werden; Platz genug, wie er selber gesehen, biete es ja; aber nach meiner Kenntnis ihrer Person sei sie viel zu stolz und selbständig, als daß sie sich in eine solche Abhängigkeit von mir begeben würde.

Er nickte dankbar. Dann wechselte er das Thema und sprach mit mir über freimaurerische Angelegenheiten und wies mich an, in allen Fragen der Art mich mit Wimpffen zu beraten und dessen Anweisungen zu folgen, da dieser die Verbindung halte zu dem Großmeister in Ungarn und Meister des Stuhls der Loge Zur Großmuth in Pest, dem Grafen Palffy. Das sicherte ich ihm zu und schlug ihm überdies vor, einen passenden Raum in meinem Schloß als geheimen Tagungsort der in Wien und den österreichischen Kronlanden residierenden oder besuchsweise anwesenden Mitglieder zur Verfügung zu stellen, ganz gleich was die Folgen; die hohen menschenverbindenden Ziele der Freimaurer, denen ich zu dienen geschworen, seien mir alle Unannehmlichkeiten und staatlichen Repressionen, welchen ich mich dadurch aussetzte, mehr als wert. Ich sah, daß ihm diese Haltung den größten Respekt abnötigte; er umarmte mich und versicherte mir, wie sehr es ihn beruhige, die gute Sache nun in so guten Händen zu wissen, um so mehr aber dränge es ihn, noch einen letzten Punkt mit mir zu erörtern.

Ich war gespannt. Er habe über meine zukünftigen Bestrebungen nachgedacht, von welchen ich ihm in unserer ersten Unterredung nach meinerAnkunft in seinem Hauptquartier des längeren gesprochen: daß ich nämlich beabsichtige, den Großteil meiner Handelsgeschäfte in die Hände meiner Agenten und Mitarbeiter zu legen, meine eigenen Bemühungen aber in der Hauptsache dem Ausbau meines Besitzes in Wetzdorf zu widmen und dem Verfolg einer gesellschaftlichen Anerkennung, wie sie mir gemäß meiner Stellung im Leben zukomme; im Zusammenhang damit hätte ich, so erinnere er sich, von Empfängen bei Hofe gesprochen, von Titeln und Orden und dergleichen Auszeichnungen mehr, welche ich schon lange verdient.

Ich bestätigte, dies etwa seien meine Gedanken.

Er bezweifle weder meine Verdienste, fuhr er fort, Verdienste um Österreich und dessen Armee, noch mein Anrecht auf eine

Art augenzwinkernder Verbundenheit mit dem Herrscherhause, welches sich auf dem Anteil an habsburgischem Blut in meinen Adern begründe, von dem so häufig gemunkelt werde. Trotzdem möge ich mich keinen trügerischen Hoffnungen hingeben: stärker als alle Meriten, alle außerehelichen Bande von Kaisern und Erzherzögen, sei die Tatsache meiner Andersartigkeit. Ich gehöre eben nicht dazu. Da könne ich mich anstrengen soviel ich wolle, nie werde man mir Zutritt gewähren zu dem magischen Kreise, in welchen zu gelangen mein Herz sich so sehr sehne; und nicht etwa nur wegen meiner Anfänge als Fetzentandler, eines jüdischen noch dazu – die Herkunft, und was ich sonst noch an Mängeln aufwies, ließe sich höherenorts ja verzeihen –, sondern weil ich des Stallgeruchs ermangele, für den die da oben einen untrüglichen Sinn besäßen; sie spürten schon von weitem, daß ich ein Tier anderer Art sei, welches man fortbeißen müsse vom Trog der echten Privilegien.

Ihm gehe es übrigens in gewisser Weise ähnlich, ergänzte er, auch er sei ein Außenseiter, den man nur seiner militärischen Talente wegen dulde; zwar sei man sich, wie es scheine, nicht ganz sicher über seine Zugehörigkeit zur Freimaurerei, sonst aber verschreie man ihn als Radikalen, als Revoluzzer gar, nur weil er seine Offiziere zur Schule schicke, damit sie sich in den Wissenschaften, vorzüglich den Ingenieurwissenschaften, umtäten, und ihnen geraten habe, statt blind ihren adligen Vorurteilen zu folgen, auf die Meinungen und Wünsche der Mannschaften zu hören; ja, sogar als Kommunisten habe man ihn schon bezeichnet und ihn heimlicher Sympathien für die Carbonari geziehen – welch Absurdität: der Oberkommandierende der Armee in Italien ein potentieller Landesverräter! – und oft genug fühle er sich beobachtet, seine Briefschaften von unberufenen Augen gelesen, seine Worte registriert in geheimen Ämtern; und sein einziger Trost sei die Loyalität seiner braven Soldaten und Offiziere ihm gegenüber. Da wir beide aber nun solcher Art

Außenseiter, so sei unsere Freundschaft um so natürlicher und notwendig zu beidseitigem Schutze, und wenn er mich warne, mein Herz an eine Karriere bei Hofe zu hängen, so möge ich das als einen Beweis und ein Zeichen seiner Verbundenheit mit mir verstehen und nicht als eine Zurückweisung meines Standes und meiner Person.

Seine Rede berührte mich zutiefst und gab mir zu denken; dennoch war mir's, als verstünde er meine Beweggründe nicht völlig, ja, könnte sie gar nicht völlig verstehen: er war von altem böhmischen Adelsgeschlecht, ich ein Bastard mit einer jüdischen Mutter, ein Parvenü; er war gefördert worden schon als Kadett von den Herren oben, ich aber erregte akuten Ekel in jenen Kreisen – das war schon ein Unterschied; und um so wertvoller die freundschaftliche Hand, die er mir bot, um so größer das Vertrauen, das er in mich setzte, indem er Fritzi meiner Obhut empfahl.

Ich erspare mir eine Beschreibung unseres Abschieds – sowohl den Fritzis von ihrem Vater, wie den meinen von meinem väterlichen Freund; genug, wir beide, Fritzi und ich, waren auf unsrer Rückreise eher ernst und nachdenklich als gelöst und frohgemut wie auf der Hinfahrt nach Mailand; und als ich sie in Wien ihrem Gatten, dem Grafen Wenckheim, übergab, bevor ich mich, nunmehr allein, auf den Weg nach Wetzdorf machte, empfand ich lebhaft, wie richtig und ehrenhaft ich gehandelt, daß ich während der ganzen Zeit unsres engen Beisammenseins keinerlei Anstalten gemacht, mich ihr fleischlich zu nähern, obwohl ich, meinem Gefühl nach, mit Aussicht auf Erfolg mehrmals dazu die Möglichkeit gehabt.

Daheim in Schloß Wetzdorf fand ich meine Anna Liane nun auch äußerlich sichtbar in gesegneten Umständen, was sie einerseits zu merkwürdigen Perioden plötzlichen Schweigens veranlaßte, während welcher sie in sich hinein zu horchen schien, sie andererseits aber auch zu größerer Anschmiegsamkeit und

Zärtlichkeit anregte als je zuvor; ich nehme an, sie fühlte sich schutzbedürftiger als sonst, mit dem Kinde unterm Herzen, und wer außer mir konnte ihr den erwünschten Schutz gewähren – obwohl der Beschützer durch seine Italienreise mit einer anderen Frau einige Zweifel in ihr erregt haben mochte an seiner Zuverlässigkeit. Die Schwankungen in ihrer Stimmung wurden um so auffälliger durch die Weine, denen sie zusprach während unsres Diners – es waren nicht die besten ihrer Art in meinem Keller, welche sie Prokosch hatte servieren lassen, aber doch recht gute Sorten, und aus nicht mehr als einem Wörtchen da, einem Wink hier, kam mir plötzlich der Verdacht, daß während meiner Abwesenheit der Gebrauch anregender Getränke durch meine Anna Liane und die Beschaffung dieser durch meinen Diener bereits zur Routine geworden waren; nicht daß ich ihr die paar Glas mißgönnte – aber in ihrem delikaten Zustand! ...

Andererseits konnte ich feststellen, daß die Verrichtungen am Schloß, die ich vor meiner Abfahrt in Auftrag gegeben, unter ihrer Aufsicht trefflich fortgeschritten waren, die Bauleute und deren Meister und Vorarbeiter gehorchten ihren Anweisungen willig, die Bewohner von Klein- und Groß-Wetzdorf und den andern Dörfern meines Besitzes, die wir zur Arbeit teils auf den Feldern, teils zur Einebnung und Bepflanzung des Areals rund um das Schloß eingeteilt, gegen ein Entgelt notabene, benötigten zwar einer strengeren Hand als der meiner Anna Liane, hatten aber doch einiges geleistet, besonders bei der Einsetzung der jungen Rebstöcke, alles edelste Sorten, die ich aus Ungarn und Italien speziell für unsere sonnigen Hügel bestellt und welche in meiner Abwesenheit eingetroffen; und der Rahmenmacher in Stockerau, dem ich meine Sammlung von Napoleon-Stichen anvertraut, hatte diese angeliefert, sämtliche 163 Stück in vorzüglicher Qualität gerahmt, so daß ich alsbald beginnen konnte, sie zu hängen.

Und wie war ich erfreut, als wenige Tage nach meiner Rückkunft der Marschall Wimpffen sich ankündigte und kurz danach in persona erschien; ich konnte ihm über Radetzkys Befinden und dessen Mailänder Gespräche mit mir berichten, was ihn höchlichst interessierte – die militärische Seite als alter Soldat, das Freimaurerische als Mitbruder und das Persönliche als langjähriger Freund, der sich oft genug in der gleichen Lage befunden hatte, wie die es war, mit welcher Radetzky sich trotz seiner erhöhten Stellung immer noch herumzuschlagen hatte. Hellhörig wie ich in Hinsicht des Pekuniären seit je gewesen, hob ich mein Glas – wir tranken von meinem guten Tokayer, von dem ich mehrere hundert Flaschen im Keller des Schlosses eingelagert – und stieß mit Wimpffen an auf die langen Jahre, die, wie ich hoffte, er noch in meinem Haus in der Ferdinandstraße in der Wiener Leopoldstadt, in dessen Mezzanin er vor kurzem eingezogen, rüstig und gesund verbringen würde, und versicherte ihm, daß er sich wegen des Mietzinses keinerlei Sorgen zu machen brauche, weder jetzt noch in Zukunft; mir sei es eine Freude und Ehre, einen Helden wie ihn unter einem mir gehörigen Dache zu wissen, und auch meinem bürgerlichen Rufe würde es eher zuträglich sein, wenn sich, wie ich zuversichtlich erwartete, in Wien herumspräche, daß ein so geachteter und berühmter Mann sich bei mir eingemietet.

In puncto meiner Anerkennung höherenorts, zu welchem ich ihm aus jenem Teil meines Gesprächs mit Radetzky referierte, war er jedoch weniger pessimistisch als dieser; ich gehörte, so deutete er an, zu jenem Typ von Menschen, der recht wohl durchzusetzen imstande sei, was er sich ernsthaft vorgenommen: es bedürfe nur einer Gelegenheit, die es mir ermögliche, unsere Herrschaften unter Zugzwang zu setzen, dann würde ich ihren König schon so in die Enge treiben, daß er am Ende aufgeben müsse.

»Welche Art von Gelegenheit?« wollte ich wissen. »Und zu welchem Zeitpunkt? Unter welchen Umständen?«

Es war mir, als könnte ich durch Wimpffens Schädel hindurch beobachten, wie seine Gedanken sich in seinem Hirn mit soldatischer Präzision arrangierten. Ich müsse, sagte er schließlich, eine Situation schaffen, in welcher die Herren dringend etwas benötigten, was außer mir keiner ihnen verschaffen könne. »Sie müssen, Pargfrider, Ihr eigener Feldherr sein. Disponieren Sie Ihre Kräfte. Warten Sie ab, bis Sie die Flanke des Gegners entblößt finden. Dann schlagen Sie zu.«

Ich lächelte. Er meinte es gut mit mir. Doch von all seinem militärischen Latein blieb mir nur sein Rat im Gedächtnis, daß ich selber mir meine Gelegenheit schaffen müsse, um meine Ziele zu erreichen. Aber bis dahin?

Ich brachte ihn in meiner Chaise bis zur Poststation in Stockerau, umarmte ihn mit aller Herzlichkeit, deren ich fähig, und setzte ihn in die Kutsche nach Wien. Der Postillion blies in sein Horn, der Kutscher knallte die Peitsche, Wimpffen winkte mir noch einmal zu, dann war er entschwunden; als ich mich jedoch umwandte, um zurückzukehren zu meiner Chaise, fand ich mich, völlig unvermutet, dem jungen Rammelmayer gegenüber, der höflich seinen abgewetzten Hut zog und erklärte, wie glücklich er sich schätze, mir jetzt und hier zu begegnen; er habe sich, meiner venezianischen Einladung folgend, auf den Weg nach Wetzdorf gemacht und sei, zum Teil sogar auf Schusters Rappen, bis zur Posthalterei von Stockerau gelangt, wo er just Ausschau gehalten habe nach einem Vehikel, das ihn, ohne sein mageres Portemonnaie zu guter Letzt noch gänzlich zu durchlöchern, nach Wetzdorf befördern könne.

»Steigen Sie ein«, sagte ich, »und möge dieses glückliche Zusammentreffen ein Omen sein für eine glückliche Zusammenarbeit.«

Schon bald nach seiner Ankunft in Schloß Wetzdorf entwickelte sich eine Art Seelenverwandtschaft zwischen Rammelmayer und meiner Anna Liane, beruhend auf ihrer beider Bindung zu Italien; ihm war das Land, wie sie bald einander entdeckten, eine künstlerische, ihr die reale Heimat; und oft genug fand ich die zwei in einer der Räumlichkeiten des Schlosses, deren künstlerische Ausgestaltung bevorstand, oder draußen vor dem Schloß, wie sie, teils italienisch, teils auf deutsch, munter miteinander über Kunst schwätzten, über lombardische Bräuche und Landschaften, oder über Wetzdorf und was hier noch alles zu tun sei, um das Schloß und dessen Park und Gärten in all der Pracht wiedererstehen zu lassen, in welcher alten Berichten zufolge diese erstrahlten, als die Grafen Kolowrat und die Herzöge von Schleswig hier noch gehaust hatten; von Fritzi und meiner Neigung zu ihr aber war, so weit mir zu Ohren kam, zwischen ihnen zu keiner Zeit die Rede.

Mir erschien dies persönliche Interesse der zwei an der Verschönerung meines Besitztums befremdlich; vielleicht glaubte Anna Liane trotz meiner klaren diesbezüglichen Äußerungen immer noch, daß das Balg in ihrem Leibe dereinst mein Erbe sein würde, und der junge Rammelmayer mochte in dem Geldsack, auf welchem thronend er einen wie mich abzubilden gedacht hatte, den potentiellen Garanten seiner künstlerischen Zukunft erblicken – nun, all das würde sich bald genug herausstellen; die Welt war, meiner Erfahrung nach, ein Pfuhl von Kabale, in dem zu ersticken ich jedoch keinerlei Lust verspürte.

So hieß ich Rammelmayern denn, mir an diesem Nachmittag über den immer noch hals- und fußbrecherischen Weg auf die Anhöhe hinter dem Schloß folgen, um ihm das Stück Land zu zeigen, welches ich als nächstes einzuebnen und zu begrünen anordnen würde; noch stolperte er zwischen den steinernen Brocken auf dem Felde und den Löchern im Boden umher, fand aber den Ausblick zum Schloß hinab und über die Äcker und Hügel in der Ferne dramatisch, wie er es ausdrückte, und höchst anregend für das Gemüt.

Ob er sich, fragte ich ihn, der Büsten berühmter Gelehrter

und anderer bedeutender Persönlichkeiten erinnere, welche aufgereiht um den Prato della Valle zu Padua standen, um Fremden wie Einheimischen Ruf und Reputation der Universität dort handgreiflich vor Augen zu führen?

Wie könnte er das vergessen, antwortete er, sei diese Parade geistiger Größen doch der Anlaß seiner Bekanntschaft mit mir und der bezaubernden Gräfin von Wenckheim gewesen.

Daß er Fritzi aufs Tapet brachte, störte mich etwas, denn ich folgerte daraus, daß er auch bei Anna Liane und was weiß ich wem noch irgendwelchen Klatsch über sie und mich verbreitet haben könnte; ich hätte, dachte ich, das bedenken sollen, bevor ich ihn seinerzeit nach Wetzdorf einlud; nun war es zu spät, mich zu ärgern, und ich hielt es für ratsam, nicht weiter auf die Sache einzugehen und lieber den Zweck weiter zu verfolgen, um dessentwillen ich ihn auf diese jetzt noch recht wüste Höhe geführt. Ich entschuldigte mich also dafür, daß ich ihm einen so beschwerlichen Aufstieg zugemutet, und kündigte an, daß ich den Weg hier hinauf glätten und mit einer neuen Masse, Asphalt geheißen, befestigen lassen würde, von welcher ich kürzlich erst erfahren und die den guten alten, aber viel zu teuren Pflastersteinen den Garaus machen würde. Auf diesem Asphalt also würde das Volk hier hinauf wandeln und wie in Padua die Büsten von Heroen des Geistes – in Bronze gegossen, so schwebte mir vor – bestaunen und sich von ihnen inspirieren lassen; und er, Rammelmayer, möge mir einen Entwurf für die ganz Anlage so bald als möglich vorlegen, samt ersten Skizzen für die Brustbilder von –

Ich hielt inne, dachte kurz nach über die Namen der so zu Ehrenden, überlegte mir dann, daß man ja immer noch diesen oder jenen von ihnen eliminieren und andere dafür einfügen könne, und sagte, »– von Shakespeare, von Galilei und Copernicus und Isaac Newton, von Cicero und Lykurg, von Mozart, Haydn, Goethe, Leibniz, Schiller, von Talma und David Garrick, von Raphael, Rubens – wir werden sehen, wieviel Platz sein wird und wie wir die Figuren gruppieren und uns danach richten ... Sie sind's nicht zufrieden?«

Zufrieden? antwortete er. Ihm sei zumute, als sei ein Zauberer in sein Leben getreten und habe ihn mit seinem Stabe berührt. Sein Herz poche fast schmerzhaft in seiner Brust und er wisse nicht, ob er in Jubel ausbrechen oder in Ehrfurcht erstarren solle, denn er könne sich keine bessere Gelegenheit denken, in seiner Kunst hervorzutreten und zu zeigen, wie man eine große und nützliche Idee wie die meine ins Dreidimensionale umsetzen und so die schönste Realität mit dem wichtigsten Gehalt zum höchsten Genuß des Beschauers in eines gießen könne – nur frage er sich, ob angesichts seiner Jugend und Unerfahrenheit er ein solches Projekt mit einiger Aussicht auf Erfolg unternehmen könne, und fürchte, mich, seinen so großzügigen Auftraggeber, am Ende bitterlich enttäuschen zu müssen.

Ich sagte, seine Befürchtungen bezüglich seiner Kunstfertigkeit ehrten ihn, und just deshalb wollt ich's riskieren; und, fügte der Kaufmann in mir hinzu, wer sich nicht selber überschätze, werde wohl auch seinen Preis nicht übertreiben. Eine solche Arbeit, protestierte er, täte er für ein Stück Brot und ein Glas Milch, und ich erwiderte, so knapp würde ich ihn nun doch nicht halten.

Dann blickten wir beide einander an, und ich sah, wie ein letzter Zweifel einen Schatten auf seine Züge warf. Eine Frage hätte er wohl noch, sagte er endlich: was veranlaßte mich zu diesem Projekt? Welchen Lohn erwartete ich davon? Ruhm? Ehren? Vielleicht brächte es mir eher Spott ein – ein neureicher Bourgeois, ein halbgebildeter, würden die Übelwollenden sagen, der sich einen Namen machen wolle durch die dilettantischen Bemühungen eines total Unbekannten auf dem Gebiet der Bildhauerkunst um Größen der Historie, die sich nicht mehr wehren könnten gegen den Mißbrauch ihrer Person und ihres Rufes.

146

Ich erschrak. Woher kamen ihm derlei Grillen? War er mir feindlich gesinnt? Oder vielmehr ein Genie, ein psychologisches, imstande, sich in die Denkart mir und meinen Bestrebungen wahrhaft feindlich Gesinnter zu versetzen? Traf letzteres zu, so mochte er mir tatsächlich helfen, mich meiner Haut zu wehren; sonst aber würde ich ihn aus meinem Leben baldmöglichst zu entfernen haben.

Jedenfalls, entschied ich, müßte man ihn sorgfältig beobachten.

CAPUT XIV

So fest ich auch entschlossen war, mich vorwiegend meinen persönlichen Angelegenheiten zu widmen, so wenig ließ sich's vermeiden, daß die Welt, welche sich zusehends in immer wütendere Wirren verwickelte, in mein Tun und Lassen eingriff. Dies waren, so sagte mir mein Instinkt, vorrevolutionäre Zeiten; die alten Abhängigkeiten, die alten Institutionen gerieten spürbar ins Bröckeln, und war ich nicht selber, durch meinen rapiden Aufstieg in den Stand eines Herrschaftsbesitzers, ein lebendiges Beispiel für die neuen Verhältnisse, die selbst den Staatskanzler Metternich, wollte er den Sinn und die Macht seiner Heiligen Allianz auf einige Zeit noch bewahren, zwischen den Gruppen und Parteiungen und den Völkern des großen Österreich zu lavieren zwangen?

Wimpffen, mit dem ich in Wien zu Mittag aß, stimmte mit meiner Beurteilung der Lage überein, ergänzte sie aber durch die Beobachtung, daß ihm unter diesen Umständen unser Freund Radetzky, den man endlich vom Feldmarschalleutnant in den Rang eines Feldmarschalls erhoben, wie ein ruhender Fels in der Ereignisse Flucht erscheine, trotz seiner reformerischen, ja, fast rebellischen Anschauungen und Äußerungen oder gerade wegen dieser. Der Hofkriegsrat in Wien, berichtete Wimpffen mir weiter, ein Bollwerk der gichtgeplagten Militärbürokratie, sei zwar dabei, Radetzkys Armee in Italien um ein Drittel zu beschneiden – der Kaiser müsse sparen, hätten sie ihm mitgeteilt –, aber Radetzky habe die Auswirkungen solch militärischer und politischer Beschränktheit durch seine neue Manöverinstruktion mehr als ausgeglichen, welche seinen Divisionären und Regiments- und Bataillonschefs beibrachte, wie man größere Verbände raschestens auch über schwieriges Terrain bewegte, sowie durch seine noch wichtigere Feldinstruktion, die der alten Lineartaktik der österreichischen Infantrie ein Ende setzte und seine Soldaten für offene Formationen und Plänklergefechte tauglich machte und sie lehrte, im Rahmen der Befehle dennoch in eigner Verantwortung zu handeln.

Statt aber derart Bemühungen zu begrüßen, erzählte mir Wimpffen beinahe genießerisch, hätte der Kriegsrat eine Kommission ernannt, bestehend aus einem Halbdutzend verknöcherter Stabsgeneräle, welche Radetzkys Instruktionen gründlich untersuchen und über deren Akzeptanz im Heere entscheiden sollten; die Herren könnten jedoch zu keinem Beschluß kommen und würden wohl noch Jahre brauchen, bevor sie sich irgendwie entschieden; Radetzky jedoch scherte sich nicht um das Hin und Her der Kommission, sondern führte in offener Meuterei gegen Wien seine Reformen durch und setzte sich so instand, trotz seiner nunmehr verminderten Kräfte jeden Angriff auf die Habsburgischen Provinzen in Italien, sei es von Frankreich her oder seitens der italienischen Fürstentümer, erfolgreich abzuwehren.

Nach seiner Lektion über das Militärische ging auch Wimpffen, sehr zögerlich allerdings, mich um eine Anleihe an; seine Pension, bekannte er mir, reichte ihm nicht vorn und nicht hinten, und fügte scherzend hinzu, daß er, da er im Verlauf eines langen Soldatenlebens sich keinerlei Schätze erworben, mir als einzige Sicherheit nur seinen durch Kugeln und Säbelhiebe leider bereits recht lädierten Leib anbieten könne – mit dem mochte ich dann nach Belieben verfahren.

Ich ging auf seinen Scherz ein und fragte Wimpffen, da solcher Art Pfandleihe ein neues Geschäft für mich sei, auf welche

Summe er denn einen von so zahlreichen Kriegsnarben dekorierten Körper taxiere; ich würde mich bemühen, ihm den Betrag in voller Höhe auszuzahlen und, wie unter Freimaurern üblich, ohne vorherigen Abzug irgendwelcher Zinszahlungen.

»Zehntausend?« schlug er vor, hörbar unsicher.

Das sei mir zu wenig, widersprach ich, und bot Vierzigtausend.

»Oh, nein, nein!« protestierte er. »Da überschätzen Sie den Wert meiner alten Knochen um ein Beträchtliches, Pargfrider.«

Es wurde ein ganz ähnlicher Auktionshandel wie der, den ich seinerzeit mit dem Kreishauptmann Csikann um mein Schloß Wetzdorf geführt, nur eben seitenverkehrt, jetzt wollte ich den Preis hochhalten, während mein diesmaliger Kontrahent ihn auf ein bescheideneres Niveau zu begrenzen suchte. Schließlich einigten wir uns in unserm edelmütigen Wettbewerb auf dreißigtausend Gulden conventioneller Münze, und ich schob Wimpffen eine Anweisung auf die Pester Handels- und Sparbank zwischen seine Kaffeetasse und die Mousse au Chocolat, die er gerade in Angriff nahm, und vergaß die ganze Chose bis auf Jahre später, als ich Umschau hielt nach einem würdigen ersten Insassen meiner Gruft auf dem Heldenberg.

Bei der Rückkehr nach Wetzdorf trat meine Anna Liane mir entgegen mit unnatürlich vergrößerten Augen im bleichen Gesicht und unförmig geschwollenem Bauch; sie erwarte das Kind nun baldigst, ließ sie mich wissen, und habe die Kammerfrau ins Dorf gesandt um die Wehmutter. Der Ton ihrer Stimme, heiser, fast keuchend, und die Angst, die aus ihren Zügen sprach, beunruhigten mich höchlichst, und ich machte mir Vorwürfe, daß ich, da ich schon in Wien gewesen, nicht genügend Voraussicht gehabt, meinen Arzt, den Dr. Wurda, einfach mit mir nach Wetzdorf zu bringen, und gab meine Selbstvorwürfe sofort weiter an deren Urheberin: sie, Anna Liane, müsse doch ihre Fristen gekannt haben, besser als ich jedenfalls, und wieso habe sie mir nichts gesagt, kein Sterbenswörtchen, als ich nach Wien abgefahren; jetzt könne ich sehen, wie ich einen reitenden Boten mobilisierte nach Stockerau und von dort einen zweiten zu Dr. Wurda im Löwenthalschen Hause in Wien, damit der Arzt sich sofort in eine eilige Kutsche setze samt Helfer und Instrumenten und weiß der Teufel was noch alles gebraucht werde für eine Geburt in einem Schloß auf dem Lande; warum nur hätte sie ihren alarmierenden Zustand mir nicht klar und deutlich vor Augen geführt, bevor ich von Wetzdorf abreiste zu meinem Treffen mit Wimpffen?

Sie schwieg; sie hielt ihre Hände vor ihren Bauch, als wollte sie ihre Leibesfrucht behüten vor meinem Zorn, und ich sah, daß, wie die Sache auch ausgehen mochte, sie mir nur Unannehmlichkeiten bringen würde; starb das Balg bei der Geburt, würde diese Frau mir die Schuld daran zuschreiben – was hatte ich im Kopf, wenn ich nicht ihrer Nöte gedachte und zumindest ein paar der mir auf der Stelle verfügbaren Maßnahmen in die Wege leitete? –, und ging alles glatt, würde der Junge mit dem Haß und dem Ressentiment gegen mich aufwachsen, die er sicherlich jetzt schon, bis in den Uterus seiner Mutter hinein, verspürte.

Ich hetzte meinen Diener Prokosch zur Postmeisterei nach Stockerau, mit einem Briefchen von mir in der Tasche an den Dr. Wurda, in welchem ich dem Arzt ein ansehnliches Honorar versprach, wenn er rechtzeitig in Wetzdorf einträfe, um das Kind gesund aus dem Leib seiner Mutter zu holen; inzwischen kam die Kammerfrau, welche meine Anna Liane sich herangezogen, ohne daß ich viel davon bemerkt hätte, mit einem Weib aus dem Dorfe, deren Sauberkeit mir höchst fraglich, und die sich mir, die Fältchen in ihrem verwitterten Gesicht gleichzeitig in mehreren Richtungen verziehend, als Crescentia Zehntmaier vorstellte, die Groß-Wetzdorfer Wehmutter – aber die Leute hießen sie alle nur Zenzi; und ich brauchte mich nicht zu sorgen, sie hätte mindestens die Hälfte der Bevölkerung von Groß- und

Klein-Wetzdorf auf Gottes schöneWelt gebracht, wo diese, wie ich sehr wohl wisse, unter allen möglichen Ausreden herumfaulenzte und sich mehr oder weniger regelmäßig besöffe, und nun sollte die Köchin einen Zuber heißen Wassers bereiten, den würde sie auf alle Fälle brauchen.

In der Nacht schlief ich kaum. Ich hoffte, meine Anna Liane würde mit der Geburt warten, bis der Dr. Wurda aus Wien einträfe, aber ich glaubte bis aus dem hinteren Flügel des Schlosses, wo sie sich eingerichtet, ihr Stöhnen und Wehgeschrei zu hören, und das Herumgelauf und die Rufe der Wehmutter und der Kammerfrau und anderen Personals, das sich ein Vergnügen daraus zu machen schien, ein Balg von mir auf Gottes schöner Welt, wie Frau Crescentia diese bezeichnete, begrüßen zu helfen.

Gegen Morgen klopfte die Wehmutter, frisch gewaschen und das gestärkte weiße Kopftuch festgezurrt über dem grauen Haar, an mein Schlafzimmer, und da ich die Tür um einen Spalt öffnete, teilte sie mir mit, ich könne jetzt kommen und mir das Kind besehen, einen Jungen, hübsch gerad gewachsen und perfekt ausgestattet in all seinen Teilen. Ich warf mir meinen Schlafrock über und lief, vorbei an der neugierigen Dienerschaft, die den vermutlichen Erzeuger des Balgs zu begaffen wünschte, durch die langen Korridore zu den Gemächern meiner Anna Liane. Diese saß in ihrem Bett, gegen die Kissen gelehnt, erschöpft und glücklich lächelnd, und hielt mir den Neugeborenen hin in seinem Steckkissen.

»Joseph soll er heißen«, sagte sie, »Joseph, wie du.«

»Doch nicht Pargfrider!« wandte ich sofort ein und betrachtete das Kind, welches alsbald zu schreien begann, fast mit Widerwillen; dann jedoch, als es aufhörte mit dem Gewinsel und sein verrunzeltes Gesichtchen mir zuwandte, kam mich eine gewisse Rührung an, gemischt mit Mitleid, und ich begann mir zu überlegen, was ich denn wirklich für das kleine Wesen da empfände außer der Furcht, daß seine Mutter es benutzen könnte, um mich ihren Launen zu unterwerfen, und fragte sie, ob sie denn in der Tat glaube, daß Joseph ein so glückbringender Name sei – meine Erfahrung im Leben wäre da eine andere gewesen.

Ein paar Tage, nachdem der Dr. Wurda dagewesen und beide, Mutter und Kind, in bestem Zustand befunden, brachten wir Joseph junior – Anna Liane hatte auf dem Vornamen bestanden, wenn ihr Sohn denn schon nicht Pargfrider heißen dürfte – zum Pfarrer von Groß-Wetzdorf, und dieser beträufelte den Kleinen mit Wasser aus dem Taufbecken in der Kirche und segnete ihn und führte uns dann in die Sakristei, wo er, während meine Anna Liane die heilige Feuchtigkeit von der Stirn des Kindes hinwegküßte, das Taufregister aufschlug, die Feder, benetzt mit Tinte, aus dem Fäßchen zog, und seinen fragenden Blick auf sie richtete.

»Joseph«, sagte sie.

»Joseph«, wiederholte er, »Pargfrider?«

Sie schüttelte den Kopf. »Joseph – Bellini.«

»Bellini«, fragte er, »ist der Vater?«

»Bellini«, sagte ich, »ist die Mutter.« Und steckte dem Pfarrer einen Hundertguldenschein zwischen die Seiten seines Taufregisters, »Für die Armen.«

»Die Armen«, sagte jener, »werden es Ihnen und Madame Bellini durch ihre Diskretion danken.«

CAPUT XV

Ein neuer Mensch, der ins Leben tritt, ändert die Beziehungen derer um ihn, selbst wenn er noch gar nicht in der Lage ist, sich bewußt zu äußern oder irgendwelch höhere Aktivitäten zu entfalten. Das kann störend wirken, besonders auf einen wie mich, der gewohnt ist, die Geschehnisse in dem Bereich, zu dem er Bezüge hat, zu kontrollieren und nach seinen Maßgaben zu ordnen. Nicht, daß der kleine Joseph ein besonders liebenswürdiges Geschöpf gewesen wäre; jedes andere Kleinkind, das sauber und zufrieden gehalten wird, hätte den gleichen Grad von Charme entwickelt wie er, und ich dankte es meiner Anna Liane, daß sie ihn mir nur zu gewissen Zeiten vorführte und sonst Sorge trug, daß er mir nicht zur Last fiel; das Balg, wie ich in meinen Gedanken ihn immer noch nannte – wenn ich ihm solche widmete –, gedieh prächtig und beschäftigte seine Mutter von früh bis abend mit der Erfüllung seiner Lebensbedürfnisse, so daß sie gar nicht die Zeit fand, auf gesteigerte Ansprüche an mich oder Torheiten anderer Art zu verfallen.

Ich war daher nicht wenig erstaunt, als der junge Rammelmayer bei einer gemeinsamen Inspektion der Pflanzen und Stecklinge, welche die Gärtner zur Gestaltung meines Künstlerhains in die Erde getan, mir plötzlich mitteilte, was für ein reizendes Kind Frau Anna Liane da doch um sich habe, es versuche auch schon zu sprechen, teils auf italienisch, teils deutsch, und sei überhaupt für sein Alter äußerst gescheit und anstellig; er, Rammelmayer, habe nach einem Tee, zu welchem er von Frau

Anna Liane eingeladen, mit dem kleinen Joseph gespielt und die Zeit sei ihnen allen dreien wie im Fluge vergangen.

Wie er denn, fragte ich, zu seiner neuen Freundschaft gekommen, gegen welche ich übrigens keinerlei Einwände hätte, da ich der Meinung sei, daß diese in der ländlichen Einöde von Wetzdorf recht anregend auf ihn wie auf die Mutter des Kleinen wirken werde und derart Anregung der geistigen wie physischen Gesundheit des Menschen nur zuträglich sein könne. Das Kind sei, erzählte er mir, ihm über den Weg gekrochen, nachdem es der Kammerfrau von Frau Anna Liane, die es in einem Rollstühlchen spazierenfuhr, in einem unbewachten Moment entwischt; er habe es aufgehoben und der jammernden Mutter, die bereits zusammen mit der Kammerfrau nach ihm suchte, in die Arme gelegt.

Ich stellte mir die Begegnung vor, die mir wie aus einer Novelle eines unsrer romantischen Dichter entnommen vorkam, und spürte, wie mir die Galle im Schlund hochstieg – nicht etwa aus Eifersucht, so sehr war ich meiner Anna Liane nun auch wieder nicht zugetan, sondern weil mir die Szene so süßlich erschien und ich es im übrigen für besser hielt, Personen, die für mich in einer oder der anderen Form arbeiteten, getrennt voneinander zu halten; und so sagte ich Rammelmayern denn, er sei hier nicht als Kindermädchen angestellt, sondern um mir bei der Ausstattung meines Schlosses und dessen Umgebung zu assistieren, und ließ mir von ihm über seinen Fortschritt bei seinen ersten Skulpturen – Homer, Mozart und Talma – und von deren künftiger Placierung berichten, und wollte ihn schon zurückschicken an seine Arbeit, als er, wiederum zu meiner Überraschung, mir vorschlug, außerhalb unsres Künstlerhains, jedoch in Nähe des Schlosses, ein weiteres Bildwerk aufzustellen, doch dieses von ganz anderer Art – nämlich eine Statue meines Freundes Radetzky, vielleicht sogar zu Pferde, jedenfalls aber in voller Größe – er, Rammelmayer, meine, daß der Sieger über

Napoleon in der Schlacht bei Leipzig einer solchen Darstellung mehr als würdig, und ich möge bei meiner nächsten Konferenz mit den Vertretern der Salmschen und Mohrenbergschen Gießerei in Blansko, welche für den Auftrag zum Guß der Büsten im Künstlerhain ihr Angebot bereits vorgelegt, zu erkunden suchen, ob sie auch eine Statue in den einem so hervorragenden Kriegshelden zukommenden heroischen Ausmaßen bewältigen könnten.

Zunächst, gab ich ihm zu bedenken, wäre es ja weniger die Frage, ob Salm und Mohrenberg die Statue gießen, sondern eher, ob der Bildhauer Rammelmayer das dafür nötige Original samt Abdruck herstellen könne.

Wenn ich, erwiderte er, mich bei dem Marschall dafür verwendete, daß er, Rammelmayer, ihm eine Gipsmaske seines Gesichts abnehmen dürfe, dann ja. Ein Pferd und eine Uniform traue er sich auch ohne Vorlage zu.

Die Erfüllung seiner Bitte würde mir gar nicht so leicht fallen, wandte ich ein, denn mein Freund Radetzky habe eine Abneigung gegen die Heroisierung von Personen, seiner eigenen inklusive. Aber wer, wollte ich wissen, habe ihm, Rammelmayer, die Idee überhaupt in den Kopf gesetzt? Frau Anna Liane etwa?

Frau Anna Liane habe, wenn auch indirekt, meine monumentalen Pläne im Gegenteil höchst zurückhaltend beurteilt; ich, ein sonst so nüchterner Mensch, habe sie angedeutet, brächte mich durch meine Spielereien, andere nennten es wohl eine Manie, nur in den Ruf eines Narren und Sonderlings bei den Leuten; außerdem sähe sie in Radetzky keineswegs einen so verehrungswürdigen Helden und hätte ihm, Rammelmayer, anvertraut, daß ihres Dafürhaltens der Marschall sich als Obergendarm der Lombardei und Venetiens mißbrauchen ließe und daß er ihr um so verhaßter werde, je länger er an der Spitze der Armee dort stehe. Nein, versicherte er mir, die Idee einer Radetzky-Statue sei ihm schon gekommen, als er mir und der Gräfin Wenckheim in Italien begegnete, und er habe sich von Herzen gewünscht, seinen Wunsch aber nicht zu äußern gewagt, mit uns beiden zusammen noch weiter als nach Venedig fahren zu dürfen, bis nach Mailand nämlich, damit er dort zu Füßen des großen Mannes sitzen und dessen Gestalt und Bewegungen aus der Nähe studieren könnte. Nun, damals sei ihm das nicht vergönnt gewesen, jetzt jedoch, nachdem der Bau der neuen Süd-Eisenbahn von Wien nach Triest bald beendet, werde es einfacher und leichter werden und weniger Zeit kosten als früher, zu dem Marschall zu gelangen, und eine Empfehlung von mir an diesen könne das Projekt ganz außerordentlich fördern.

Offenbar, dachte ich, hatten die zwei, meine Anna Liane und mein Bildhauer, seit jener süßlichen Szene, von welcher er mir berichtet, mehr als einmal beieinander gehockt und über mich und ihrer beider Zukunft vertrauliche Rede geführt. Sollten sie, bitteschön! Für mich war im Augenblick wichtiger, ob Rammelmayer möglicherweise gar nicht so unrecht hatte und ich neben meinen Geistesheroen auch einigen jener Helden ein Denkmal setzen sollte, die sich auf andere, wenn auch handgreiflichere Weise um ihr Volk verdient gemacht.

Held! Wer war denn nun wirklich ein Held? Und wer bestimmte, weshalb und von welchem Zeitpunkt an einer als Held gelten durfte? Diese Fragen hatten mich schon interessiert, als ich meine Napoleon-Lithographien mir kaufte und neben der Echtheitsbescheinigung des Künstlers, Charles Etienne Motte, einen Zettel mit einer merkwürdigen Aufstellung von Daten von meinem Pariser Antiquar erhielt, als »un petit cadeau«, wie er mich freundlich wissen ließ.

Ich sagte Rammelmayern also, es sei Zeit, ins Schloß zurückzukehren, und führte ihn, dort angelangt, zu dem Schreibschrank in meinem Kabinett und kramte das bereits etwas vergilbte Papier hervor und gab's ihm zu lesen. Was er auch tat, doch zeigte sich nur Verständnislosigkeit auf seinen Mienen, bis ich's ihm erklärte. »Sehen Sie denn nicht«, rief ich aus, »dies ist eine Zusammenstellung aus der Pariser Presse der Schlagzeilen in den Tagen nach dem Ausbruch Napoleons aus Elba, was unserm alten Kaiser Franz und seinem Metternich die Hosen gehörig flattern ließ und mir über Nacht viele hunderttausend Gulden für eiligst herangeschafftes Monturleinen und Zwillich in meine Kasse schwemmte!«

Und las ihm vor, »1815, 28. Februar: *Der Menschenfresser hat seine Höhle verlassen.* 7. März: *Der korsische Vielfraß ist in Golfe-Juan gelandet.* 9. März: *Der Tiger ist in Cannes angekommen.* 11. März: *Das Ungeheuer liegt in Grenoble.* 16. März: *Der Tyrann hat Lyon durchzogen.* 17. März: *Der Usurpator zeigt sich bereits 60 Meilen vor der Hauptstadt.* 18. März: *Bonaparte nähert sich mit großen Schritten, aber er wird nie in Paris einziehen.* 19. März: *Napoleon wird morgen unter unseren Wällen sein.* 20. März: *Der Kaiser ist in Fontainebleau eingetroffen.* Und am 21. März: *Seine Majestät hat gestern Seinen Einzug in die Tuilerien gehalten inmitten Seiner getreuen Untertanen.*«

Rammelmayer schien verblüfft und unsicher, ob er lachen oder sich nachdenklich zeigen sollte. Er ersehe aus der Aufstellung also, sagte ich, daß es mehr oder weniger vom Datum abhänge – und vom Standpunkt des Betrachters –, ob einer als Held gelte oder als Scheusal; daß wir aber auch selber durch unsre Bewertung eines Mannes und den künstlerischen Ausdruck, den wir dieser gäben, zur Formung seines Bildes in der Geschichte beitragen könnten. Ein gutes Denkmal, aus dauerhaftem Material, könne den nachfolgenden Generationen demonstrieren, was die Zeitgenossen des so Dargestellten von diesem hielten: weshalb die Alten schon ihre Götter und Heroen als Zeichen ihrer Dankbarkeit und Verehrung in Marmor oder anderem Gestein geformt in ihren Tempeln aufstellten; als einziger hätte der jüdische Gott sich eine solche Behandlung verbeten und es vorgezogen, sich seiner Gemeinde nur durch das Wort zu offenbaren – vielleicht auch aus Furcht, die Leute könnten ihn, nachdem er bei der Erschaffung der Welt so sichtbar gepatzt, mit faulen Äpfeln vom Baum der Erkenntnis bewerfen, wenn er sich ihnen in eigener Gestalt präsentierte.

Die Eisenbahn, von welcher Rammelmayer gesprochen, nahm in der Tat ihren Betrieb bald auf und beeinflußte, wie alle Neuerungen und Entdeckungen, von denen unsere Zeit so viele aufwies, das Leben jedes einzelnen. Ich sah mich veranlaßt, die Leute in meiner Firma anzuweisen, mit wachem Auge, wie auch ich es tat, Veränderungen um sich herum wahrzunehmen und sich zu überlegen, wie diese zum Nutzen unserer Geschäfte appliziert werden könnten, und versprach ihnen klingenden Lohn, wenn sie's täten; die Modernisierung des Kriegshandwerks schon und die sich dadurch ständig entwickelnden Bedürfnisse unserer Kundschaft, des Militärs, verdienten unsre geschärfte Aufmerksamkeit, ganz abgesehen von den veränderten Transportwegen unserer Güter und den neuen Methoden für deren Herstellung durch neue, produktivere Maschinerie. Welch wunderbares Gefühl, suchte ich ihnen klarzumachen, in einer Periode zu leben, in welcher ein Dezennium soviel an Fortschritten erbrachte wie früher ein Jahrhundert – selbst in dem alten Österreich! –, und ich erwartete von ihnen, daß sie sich sputeten, Schritt zu halten. Meine Dörfler allerdings, spürte ich, nahmen meine Worte weniger beifällig auf: ich beabsichtige nur, hörte ich sie murren, ihnen neue Schindereien aufzubürden, wenn ich ihnen eiserne Pflugscharen gab und sie Fäkaliengruben ausheben ließ bei ihren Häusern und meinen Stallungen, und sie wollten verdammt sein, maulten sie, wenn sie das neue Teufelszeug, welches ich ihnen einzureden versuchte, benutzten; lieber sollte ich mich doch selber mal aufs Feld stellen bei Wind und Wetter und meine Knochen spüren nach zehn oder zwölf Stunden bücken und schleppen und hacken, statt in einer gepolsterten Chaise bei ihnen angerollt zu kommen wie die andern großen Herren auch.

Schließlich ließ ich Rammelmayern nach Triest fahren mit der neuen Eisenbahn und dann weiter nach Mailand, nachdem ich ihn durch ein Handschreiben bei meinem Freund Radetzky avisiert; meiner Anna Liane, die mir hoffnungsvoll vorschlug, sie könnte doch zusammen mit Rammelmayern und in seinem Schutze gleichfalls nach Italien reisen und ihrer Verwandtschaft, die sie seit Jahren nicht gesehen, unser Söhnchen zeigen, erwiderte ich mit mildem Blick, Vielleicht später einmal, oder harrten ihrer nicht genügend Aufgaben in Schloß Wetzdorf?

Insgeheim aber wußte ich, daß die neue Zeit auch neue Verhältnisse schuf zwischen Mann und Frau und daß ich, wollte ich meine Anna Liane mir denn erhalten, die Zügel lockern müßte, an denen ich sie lenkte.

CAPUT XVI

Eine Zeit später, eine längere – so oft ist der Radetzky ja auch nicht nach Wien gekommen von seinem Posten in Mailand, aber diesmal hat er gemußt, S. M. Kaiser Ferdinand hat ihn beordert zu einer Konferenz mit dem Hofkriegsrat über den ewigen Konflikt, den Radetzky mit diesem gehabt: Finanzen, und die mangelnde Ausrüstung seiner Armee und die neue Strategie – und anschließend haben er und der Wimpffen mich besucht in Schloß Wetzdorf, und wieder sind wir zusammengesessen in meinem Napoleonzimmer und haben ernsthaft miteinander geredet über die Zeitläufte, derweil wir unsere Partie Tarock gespielt, und ich hab sogar gewinnen dürfen, wenn auch nicht oft, was ich dankbar zur Kenntnis genommen und mich dabei gefragt hab, warum wohl.

Aber sie waren ganz ohne Harm und Hintergedanken, diesmal, die beiden, sowohl was die Freimaurerei betraf als auch ihre ständige Geldnot, und Radetzky hat gemeint, daß die Italiener eine historische Hinneigung hätten zu Verschwörungen, und wie die unaufhörlichen Verurteilungen und Bestrafungen, welche er auszusprechen und durchzuführen gezwungen sei, ihn bedrückten, und dann hat er sich umgewandt und sich lustig gemacht über den Brief, den er seinerzeit von mir erhalten per kaiserlichen Sonderexpreß, daß ein gewisser Rammelmayer, Adam, bei ihm vorsprechen würde, ein junger Bildhauer, dem er doch gestatten möge, eine Gipsmaske abzunehmen von seinem markanten Gesicht, es wär für ein Denkmal, was auf der Höhe neben meinem Schloß placiert werden sollte, und wie er zuerst geglaubt hätte, ich wär verrückt geworden mit meinem Eifer auf Landschaftsverschönerung, erstens besäße er kein markantes Gesicht und zweitens ein Denkmal wozu, aber dann habe der Rammelmayer auf ihn eingeredet wie ein gelernter Feldkaplan, nur noch salbungsvoller, und hätte es dargestellt, als wär's eine Art Mutprobe, daliegen mit der glitschigen Masse auf dem Gesicht, die immer härter würde und lästiger, und nur zwei Strohhalme in der Nase zum Atmen, und er, als ein alter Soldat, würde sich doch wohl nicht fürchten, etwa, wo er nicht mal einen Schnurrbart trüge, an dem der Gips festhaften könnte?

Nun kannte ich die Maske sehr wohl, Rammelmayer hatte sie zurückgebracht in einem mit Tüchern ausgeschlagenen Holzkästchen; sie war gut gelungen, und ich hatte sie aufhängen lassen an der Wand meines Arbeitskabinetts, bis der Rammelmayer, nach Abschluß seiner Arbeit an den Künstlerbüsten, sich an die Radetzky-Statue machen würde. Aber nun, da die Sache so zur Sprache gelangt, sah ich mich gezwungen, Wimpffen in gleicher Weise zu ehren, und sagte, nachdem ich mit meinem Herz-König ihre Dame und Kavalier gestochen, ich hoffte doch, auch er werde mit derselben Furchtlosigkeit wie Radetzky meinem Bildhauer gestatten, ihm Strohhalme in die Nase zu stecken und sich sein Gesicht abformen lassen; ich gedächte, so wie sie beide im Leben erst neben-, dann nacheinander gewirkt, sie in dieser Ordnung auch in Bronze oder einem ähnlich edlen Material aufstellen zu lassen.

Wimpffen gab sich geschmeichelt. Vielleicht war er es auch; obwohl noch um ein weniges jünger als Radetzky, hatte man ihn, seiner vielen Wunden wegen, schon lange zur Ruhe gesetzt und ihn, wie das so ist bei Pensionären, dem mählichen Vergessen anheimfallen lassen; ich aber würde ihn in den gleichen Rang und die gleiche Reihe mit dem alten Freunde, der trotz seiner Jahre immer noch höchst aktiv, positionieren. Die Maske, ja, warum nicht, sagte er; doch mit dem Denkmal möge ich mich noch ein Weilchen gedulden; ein solches Denkmal, meinte er, sei wie eine höfliche Aufforderung, sich selber endlich davonzumachen zu den lieben Engelchen, aber solange er in seiner realen physischen Haut, wenn auch in bescheidenem Maß nur, sich vergnügen könne, wolle er dergestalt eine Zeitlang noch in seiner schönen Wohnung in meinem Haus in der Ferdinandstraße in Wien und nicht als Statue vor meinem Schloß überleben.

Inzwischen hatte neben dem Tarock und dem guten Gespräch auch mein guter Tokayer auf die beiden alten Krieger gewirkt, und so lag Wimpffens Gedankensprung von seinen bescheidenen Vergnügungen hin zu meiner Anna Liane nahe, und er erkundigte sich, wie es denn übrigens mit ihr stünde: er, und vermutlich unser Freund Radetzky gleicherweise, gedächten immer noch aufs freundlichste ihres angenehmen Wesens, ihrer schönen Stimme und ihres Harfenspiels.

Radetzky bestätigte: Ja, in der Tat hätte er mich kurz nach seiner Ankunft in Stockerau, wo ich ihn und Wimpffen von der Station der neuen Nordbahn in meiner Chaise abholte, nach ihrem Befinden bereits fragen wollen; in Wien hätte es geheißen, daß sie jetzt Mutter eines jungen Sohnes sei, und er habe erwartet, ich würde sie zu gegebener Zeit schon herbeizitieren, mit Kind oder ohne; und zwinkerte mir mit seinen nur allzu häufig geröteten Augenlidern zu.

So sandte ich denn den Prokosch zu ihr, meinen Diener, der heute mit ganz professionell vor den Bauch gebundener weißer Kellnerschürze um den Tisch zirkulierte und uns den Wein nachgoß, und ließ um ihre Anwesenheit bitten; das Kind erwähnte ich nicht; wie ich meine zwei Marschälle kannte, hätten sie sich, wäre es von seiner stolzen Mutter vorgeführt worden, alsbald in Bemerkungen über deutlich und weniger deutlich erkennbare Familienähnlichkeiten ergangen. Statt dessen brachte sie wiederum ihre Harfe und ließ sich nicht lange bitten, uns durch einige ihrer Lieder zu erfreuen; eines davon war das, mir nur allzu bekannt, *Gloria all' Italia*, ein revolutionärer Text mit einer aufreizenden Melodie, von der ich fürchtete, daß auch Radetzky sie in Mailand mehr als einmal schon gehört haben könnte. Was notabene der Fall war: er klopfte auf den Tisch, seine Art von Beifallsbezeugung, und warnte, Frau Anna Liane möge lieber vorsichtig sein und derart Wort und Vers nicht vor Leuten vortragen, die staatsfrommer geartet als er – sein Freund Pargfrider könnte sonst in Unannehmlichkeiten geraten. Darauf blickte sie ihn verständnisvoll an, ihr dunkles Auge schien ihn auf eigentümliche Art zu erregen; offenbar bemerkte sie dieses ebenso wie ich und nahm es zum Anlaß, nachdem sie sich durch ein Glas oder zwei von dem Wein ermutigt, mir in aller Form vorzuschlagen, ich möge ihr doch gestatten, die gute Gelegenheit des Besuchs meines Freundes Radetzky zu nutzen, um, samt dem kleinen Joseph, in des Marschalls Gefolge und damit unter dessen Obhut die so lange schon aufgeschobene Reise zu ihrer Familie nach Italien zu unternehmen und der Verwandtschaft den Buben vorzustellen.

Was ich sofort fürchtete, geschah; Radetzkys alte Schwäche für sie feierte fröhliche Auferstehung; sein Beschützerinstinkt kam hinzu, und er versicherte mir, er werde mehr als ein Auge während der Reise auf sie haben und nicht nur während dieser, sondern solange sie sich im Lombardischen und Venezischen Königreich aufhielte unter seinem Oberbefehl, so daß ihr keinerlei Gefahr drohen und ich ganz beruhigt sein könne. Ah, dies Weib, sie hatte mich überlistet! – sie wußte sehr wohl, was ich von ihren italienischen Reisewünschen hielt und wie ich dieselben des öfteren schon vom Tisch gefegt, aber sie wußte auch, daß ich gegen einen solchen Fürsprech nur schlecht opponieren konnte; höchstens vermochte ich gegenzuhalten, sie könne sich doch sicher vorstellen, wie sehr ich und Schloß Wetzdorf unter ihrer Abwesenheit leiden würden, und hätte sie wirklich alles Dafür und Dawider gründlich durchdacht; doch Radetzky lachte tief aus der Brust heraus, ob ich nicht wüßte, daß keine Frau unersetzlich wäre? Und Wimpffen witzelte, was es denn noch bräuchte zu Frau Anna Lianes Wohlergehen und meiner Seelenruhe außer Kind und Harfe im Gepäck und einer österreichischen Offizierseskorte?

Um so erstaunter war ich, meine Anna Liane bei ihrer endlichen Rückkehr nach Wetzdorf – welche sie übrigens ohne Hilfe und Zuwendung irgendwelcher Militärs glücklich bewerkstelligt – trotz der Radetzky geschuldeten Dankbarkeit als seine rabiate Feindin wiederzufinden, die sich, weder mir noch Rammelmayern gegenüber, ein Blatt vor den Mund nahm, wenn es zur Beschreibung ihrer Gefühle ihm gegenüber kam. Sie war, berichtete sie, nicht nur in der Lombardei gewesen, sondern auch über die Grenze im Piemontesischen, nahe Turin, dem Wohnsitz des zweiten Zweigs ihrer Familie, wo sie den Knaben ebenfalls vorführte und dieser sich in zunehmendem Maße italienisierte; jetzt, zurück in Wetzdorf, verlangte er nun vom Schloßpersonal und den Dörflern Giuseppe genannt zu werden, zankte sich in zwei Sprachen mit den verdreckten Dorfbuben herum, prügelte sich wohl auch mit ihnen und ließ sich ebenso verdrecken wie diese, während seine Mutter von ihrem Wohltäter Radetzky als Blutrichter und Frauenschänder sprach, ihm, dem sanftesten und zurückhaltendsten der hohen k.u.k. Generals, und mich unmißverständlich aufforderte, meinen Auftrag an Rammelmayer für die Anfertigung einer Radetzky-Statue, stehend auf seinen Degen gestützt, zurückzuziehen. Sollte ich den Herrn Feldmarschall doch befragen, keifte sie in ihren schrillsten Tönen, über die Exekutionen von Priestern und Anwälten in Mailand und ringsum durch seine Pelotons, ja sogar eine Frau habe er auspeitschen lassen, ihr nacktes weißes Hinterteil mit den von den Peitschenhieben blutenden Streifen den

Blicken der Soldateska und Polizeischergen preisgegeben! Dies sei ein geheimer Krieg, erwiderte ich, angezettelt von den Carbonari in Italien und den Kommunisten in der Schweiz, und so viele Vorbehalte ich dem Wiener Hof gegenüber auch hätte, müsse ich dem Kaiser doch das Recht zubilligen, seine Provinzen zu verteidigen, wenn nötig sogar unter Anwendung von Gewalt, und Radetzky wiederum stünde in der Pflicht, diese Gewalt anzuwenden; solle er statt dessen etwa seine eignen österreichischen Soldaten abschlachten lassen vor den Toren der Städte und auf den Straßen dieser? Und der Ärar in Verzug geraten mit der Auszahlung an dich für deine Leinen und Zwilliche? höhnte sie böse; und fast hätte ich sie geschlagen in Gegenwart von Joseph alias Giuseppe, der schon seine kleinen Fäuste gegen mich hob, als wolle er seine Mutter beschützen.

Trotzdem war meine Stellung keineswegs so eindeutig wie einer aus meinem Streit mit Anna Liane hätte schließen können. Weniger seitens der bäuerlichen Bevölkerung auf meinem Besitztum und nahebei, die seit je renitent gewesen, als durch meine Agenten und Aufkäufer und die Kontoristen in meinen Büros wurde mir bestätigt, was ich in immer stärkerem Maße dem öffentlichen Gemunkel sowie der Presse des Landes und den Berichten meiner Korrespondenten entnommen: es brodelte überall. Die Bewegung, die ihre Wurzeln zweifellos in der Französischen Revolution mit deren Verlangen nach Freiheit, Gleichheit, Brüderlichkeit hatte, war mir einst selber sympathisch gewesen: wie wäre mein Leben denn verlaufen ohne die Rechte, welche die Revolution und ihr Vollstrecker, Napoleon, auch dem kleinen Manne gebracht? – und was war denn meine Tätigkeit bei den verbotenen Freimaurern, im Bunde mit Wimpffen und dem von meiner Anna Liane so geschmähten Radetzky, was war diese denn anderes als Teil jener Verschwörung, welche der gleiche Radetzky ausgezogen war, dort unten in Italien zu bekämpfen?

In dieser Lage beschloß ich, daß, soweit mein Auftreten in coram publico betroffen, Vorsicht am Platze war. Sowohl im Verkehr mit amtlichen Stellen als auch in Versammlungsstätten, Caféhäusern und dergleichen, in welchen die Revoluzzer kongregierten, enthielt ich mich in größtmöglichem Maße jeglicher Feststellungen, auf die man mich später von der einen oder anderen Seite her festlegen konnte; von dem oder jenem meiner auffälligen Zurückhaltung wegen zur Rede gestellt, erklärte ich, ich sei kein Politiker, sondern ausschließlich Geschäftsmann, und als solcher verfolge ich, im Rahmen der Gesetze, wie sich's gehöre, meine geschäftlichen Interessen und nichts sonst, und keiner könne von mir verlangen, in dem sich täglich verschärfenden Konflikt mich für die oder jene Partei zu erklären; ich hätte genug Sorgen, in dem gefährlichen Auf und Ab der Wirtschaft meinen Besitz zu wahren.

Ob denn, vom Blickpunkt des Moralischen gesehen, dies mein Verhalten fragwürdig gewesen, wage ich nicht zu entscheiden; jedenfalls gestattete es mir, in einer Zeit, da wieder eine Revolution in Frankreich, diese im Februar des Jahres 1848, einen König zum Teufel jagte und ein Fanal in Italien entzündete und den Staatskanzler Metternich, mit Schande bedeckt, nach London vertrieb, und unser Kaiser Ferdinand, der leicht vertrottelte, seinem jungen Neffen Franz Joseph sein Amt übergab und dieser mitsamt seiner Mutter Sophie und dem Rest der Regierung vor dem Wiener demokratischen Mob in die Festung Olmütz retirierte, Radetzkys ehemalige Wirkungsstätte – in einer Zeit solcher Fährnisse also konnte ich dank meiner Um- und Vorsicht nicht nur ohne Konfiskationen und Betrüblichkeiten ähnlicher Art mein Schloß und meine anderen Vermögenswerte erhalten, sondern auch meinen Freund Radetzky, wie ich bereits an früherer Stelle dieses Heftes berichtete, in beträchtlichem Umfang unterstützen. Der Dichter Franz Grillparzer, k.u.k. Archivrat und eine der wenigen Berühmtheiten des Landes, die mich niemals um Geld angingen, lobpries Radetzky mit den Worten, *In deinem Lager ist Österreich*: indem ich Radetzkys Lager bei Verona zu finanzieren half, von dem er dann gegen den Piemontesischen König Karl Albert und den Rest der italienischen Fürsten und ihres Carbonari-Anhangs ausbrach und sie bei Custozza und Novara vernichtend schlug, durfte ich also folgern, daß ich ebenfalls ganz entscheidend zum Bestehen Österreichs und seines ehrwürdigen Herrscherhauses beigetragen – nicht daß diese meinen Beitrag zu ihrem Erhalt durch besonderen Dank gewürdigt hätten; aber da fand ich mich ja in der gleichen Situation wie mein großer Freund.

CAPUT XVII

Man wird mir nicht verübeln, wenn ich in diesen Tagen, da ich bewegten Herzens der Ankunft der sterblichen Überreste Radetzkys in Wetzdorf und ihrer Beisetzung in meiner Gruft auf dem Heldenberg entgegensehe, nicht die Muße finde, die aufregenden Ereignisse jenes Kriegs in Norditalien auch nur flüchtig zu skizzieren, in welchem mein großer Freund, an der Spitze seiner schwer bedrängten Armee, nicht nur das Königreich Lombardei und Venetien, sondern, da dieses an Reichtum, Industrie und allgemeiner Begabung allen anderen Provinzen der Doppelmonarchie überlegen und so von entscheidendem Gewicht, das ganze Österreich vor Niederlage und Zerfall bewahrte. Genug, nach Rückzügen, veranlaßt durch die Wucht der plötzlichen Angriffe überlegener feindlicher Streitkräfte und die Aufstände von erheblichen Teilen der eigenen Bürgerschaft, gelang es ihm, den Einfluß seiner Persönlichkeit wieder zur Geltung zu bringen und dank der inneren Disziplin, die er seinen Soldaten in langen Jahren gemeinsamer Übungen eingeflößt, am Flusse Mincio Fuß zu fassen und bei Santa Lucia, kurz vor Verona, mit einem Korps von 20 000 Mann, 40 000 Piemontesen zurückzuweisen.

Das war die Wende. Und als der Piemontesische König Karl Albert den Waffenstillstand brach, den er nach der Schlacht von Custozza geschlossen, und eine Revanche wagte, ließ Radetzky, sehr klein, sehr alt schon, sich in den Sattel seines großen Schimmels heben, richtete sich auf und rief den Reihen seiner Leute zu, »Soldaten, der Kampf wird kurz sein!« Und der Kampf war kurz, und endete mit der einsamen Flucht des Königs und dessen Abdankung zu Gunsten seines Sohnes Viktor Emanuel.

Er hat mir's selber beschrieben, den Moment da oben auf dem weißen Gaul: die rote Schabracke unter dem Sattel, die grüne Generalsfeder auf dem Hut und das hellgraue Röckchen, das er trug, ganz ohne Ordenszeug – ich hab Farben immer gemocht, sagte er, aber nicht zu viele auf einmal, und diese zueinander passend, und lachte auf seine Art. Zur Rückkehr nach Mailand, aus dem man ihn anfangs des Kriegs vertrieben, bat man ihn jetzt in höchster Eile: er sollte mit seiner Kavallerie verhüten, daß beim schmählichen Ende des Umsturzes, für welchen die lombardische Bourgeoisie das Volk hatte bluten lassen, dieses ihr nun an die Geldsäcke ging. Mit dem neuen König von Piemont, Viktor Emanuel, traf er sich auf dem Hof eines Bauerngütchens nahe der Grenze zu dessen Reich; man begegnete einander mit ausgesuchter Höflichkeit, und der Friede, welchen mein großer Freund dem jungen Manne diktierte, zeugte von erhabener Weisheit. Später sagte er mir, er habe der Welt, selbst unsern Feinden, die Mäßigung zeigen wollen, die Österreich im Lauf seiner Geschichte stets bewiesen. Er verzichtete auf eine militärische Besetzung Piemonts, schon weil ihm die dafür notwendige Anzahl von Truppen gar nicht zur Verfügung; dieselben Herrschaften in Wien, die seine Armee so kurzgehalten, konnten sich gar nicht genugtun jetzt, ihn ob seiner Milde zu tadeln; er erwiderte ihnen, wenn er seinen Gegner nicht zur Verzweiflung getrieben, so weil er wußte, daß Gott die Mäßigung des Siegers mehr schätze als dessen Übermut; außerdem verschaffe Verzweiflung dem Gegner nur Vorteile: das Recht der Verzweiflung, alles zu dürfen, den Mut der Verzweiflung, der vor nichts zurückschreckt, und die sonderbare, noch nie erklärte Kraft der Verzweiflung – in keinem seiner Kriege habe er es so weit kommen lassen.

Man wird mir zugestehen, daß ein Mann mit einer solchen Einstellung als ein Held ganz besonderen Charakters zu gelten hat: keiner, der vor den Augen der Öffentlichkeit sich spreizt und die Muskeln spielen läßt, oder mit großen Worten und Geschrei das Bedürfnis der Menge nach Drama und Schauder erfüllt. Es verwundert also nicht, daß ihm die verdiente Anerkennung von offizieller Seite verweigert wurde. Wahrscheinlich dünkte man sich bei Hofe schon äußerst großzügig, als man ihm die Porträts, in Öl, des jungen Kaisers Franz Joseph und dessen Kaiserin Sisi zum Geschenk machte, plus einem der Kaiserinmutter Erzherzogin Sophie, und ihm trotz seines fortgeschrittenen Alters und der Umtriebe des kaiserlichen Stabschefs Graf Grünne, eines der einflußreichsten Männer in der Hofburg, sowie anderer seinesgleichen, den Posten des Oberkommandierenden in Italien beließ, ja, ihm dazu noch nach dessen endlicher Heimkehr auch die Funktionen des Vizekönigs der Lombardei und Venetiens, des Erzherzogs Rainer, aufbürdete. Ich jedenfalls fand, daß die ganze Bagage in Wien, die ohne Radetzkys und seiner Armee Kampf und Siege hinweggefegt worden wäre, ihm nicht mit der ihm geziemenden Ehrfurcht und Dankbarkeit begegnete, und beschloß, die eitle Gesellschaft gründlich zu beschämen – mit meinen eigenen Mitteln, welche ich in einem langen und harten, aber erfolgreichen Geschäftslebens mir Gott sei Dank beiseite gelegt. Nicht nur ihm und Wimpffen würde ich ein weithin sichtbares Denkmal setzen: dem ganzen österreichischen Heere! – mit Ausnahme des eitlen Großmauls allerdings, des Fürsten Schwarzenberg, und des gewissenlosen Windischgrätz, welcher die Wiener Revolution zusammenkartätschte. Ein Denkmal nicht nur der Armee Radetzkys, die den Krieg in Italien so glorreich bestand – nein, den Generationen genialer Heerführer und tapferer Soldaten zuvor, auf deren bravouröser Hingabe dies Österreich erwuchs! Mein Künstlerhain, der sich seiner Vollendung näherte, würde nur eine Vorübung gewesen sein für das große, das endgültige Werk!

Ich sah das Ensemble vor meinem geistige Auge: den Strahlenstern der Alleen, in dessen Mittelpunkt meine Gruft sich befand, gekrönt von dem Obelisken neben der Säule mit der Göttin des Siegs auf ihrer Spitze; diese Alleen wiederum umsäumt von den Standbildern und Büsten der Herrscher von Kaiser Rudolf bis zu dem jungen Franz Joseph und ihrer Feldherren von Wallenstein und Tilly über Prinz Eugen bis hin zu meinen Freunden Wimpffen und Radetzky, dazu die Köpfe samt medaillenverzierter Brust der einfachen Soldaten, welche sich furios geschlagen im Kampfe und dafür ausgezeichnet wurden mit dem Maria-Theresien-Orden – welch glanz- und verdienstvolle Schar! Und griff nach Stift und Papier und gab, in einem Wurf, der Idee die erste Gestalt, und läutete lang und heftig, und entsandte meinen Diener Prokosch nach Rammelmayern, und schob diesem, nachdem er sich eingestellt, den Bogen zu: So, und nicht anders! Und nun frisch an die Arbeit!

Rammelmayer zog die Stirn kraus. Offenbar überrechnete er an Hand meiner flüchtigen Zeichnung und meiner noch vorläufigen Aufzählung der Tapferen, die ich auf meinem Heldenberg verewigt sehen wollte, wieviel an Arbeit auf ihn zukam; dann bedankte er sich überschwenglich für mein Vertrauen, gab mir jedoch zu bedenken, daß die Erfüllung eines so großen Auftrags, selbst unter Anwendung modernster technischer Hilfsmittel, mehr Zeit in Anspruch nehmen würde als mir wahrscheinlich lieb, und daß er vorschlüge, Helfer heranzuziehen – er kenne da zwei tüchtige und bereitwillige Kollegen, einer, Johann Fessler, habe sich bereits einen guten Namen gemacht, der andere, Anton Dietrich, sei durch seinen Fleiß und seine handwerklichen Kenntnisse ihm verschiedentlich aufgefallen – wenn ich gestatte, werde er sich mit ihnen in Verbindung setzen; zu dritt möchten sie innerhalb von ein, zwei Jahren schon einen erklecklichen Teil des von mir ins Auge gefaßten Projekts kreiert und aufgestellt haben, so daß ich am Ende mit Genugtuung würde konstatieren können: das Österreich, das der Dichter Grillparzer in Radetzkys Lager gesehen, befinde sich nunmehr auf Pargfriders Heldenberg.

Machte der Kerl sich über mich lustig? Für meinen Künstlerhain der, obgleich noch im Zustand der Fertigung, bereits einiges öffentliche Lob eingeheimst hatte, war Rammelmayer mit einer erklecklichen Summe belohnt worden; für Ironie aber gedachte ich ihn nicht zu bezahlen, für Ironie war ich selber zuständig. Andererseits, wenn ich's recht bedachte, hatte er denn so unrecht, wenn er meine plötzliche österreichische Heldenverehrung, so demonstrativ zur Schau gestellt, mit einer gewissen Skepsis betrachtete? War ich mir selber denn so klar über meine inneren Beweggründe? Gewiß, ich wollte der kleinlichen Kamarilla bei Hofe zeigen, wie ein echter k. u. k. Patriot die Armee und deren Feldherrn, die das Reich gerettet, zu ehren wußte; mochten sie, die sich noch nicht einmal herbeigelassen, mich zu einer Audienz in Schönbrunn oder der Hofburg, einem Empfang, einem Souper oder derlei zu laden, sich ein Beispiel an meinem Sinn für wahre Größe nehmen! Aber war das alles – diese Schau von Trotz meinerseits? Hieß das nicht, daß ich mich hinabbegab auf der hohen Herrn moralische Ebene?

Nein, meine Motive, des bin ich sicher, wurzelten tiefer, meine Seele war von komplexerer Natur. Vielleicht waren da Ängste gewesen in meiner Kindheit, die mich heute noch umtrieben. Geld, gewiß, Geld, viel Geld war ein Schutzwall. Aber Geld zerrann, wie man's gewann. Was war es, was mich so sehr verlockte an Radetzky und Wimpffen, daß ich ihre Freundschaft suchte und dafür fast alles, was sie sich wünschten, zu geben bereit war? Was boten sie mir, das ich mir nicht selber schaffen konnte? Schutz. Ein Wort von Radetzky, und ganze Regimenter setzten sich in Marsch, wohlgeordnet, bereit, ihr Blut zu vergießen für eine Schimäre wie die k. und k. Doppelmonarchie, warum also nicht für den armen kleinen Pargfrider,

der ihnen das Leinen geliefert für ihre Montur? Warum empfand ich diese Wärme, diese Sicherheit, wenn ich mit den beiden in meinem Napoleonzimmer saß im Obergeschoß meines Schlosses, am Kartentisch beim Tarock, den Pagat in der Hand und den Mond und vielleicht noch ein paar Könige; war's nur der Wein? Und wenn schließlich der Tod kam, und er würde kommen, würd ich dann, wenn ich die zwei bei mir hätte, nicht diese schreckliche Einsamkeit fühlen, welche die eigentliche Hölle ist, und vorher schon, würd das bedrohliche Dunkel in mir sich lichten, wenn ich die Alleen entlangschritt, welche ich Rammelmayern aufgezeichnet, und meine Galerie von Helden um mich scharte, damit sie, ihr Schwert entblößt, mich aufnähmen in die Unsterblichkeit, welche ich selber ihnen zuvor erst verliehen – aber wem soll ich das erklären, versteht mich einer denn, dies Hin und Her der Gefühle, dieses Suchen – ich glaub nicht.

Um die Zeit ward ich schlimm geschockt durch einen Anschlag auf mich, der auch jeden anderen zutiefst verstört hätte. In meiner Vorliebe für das Moderne, zu welcher eine wahrhafte Experimentiersucht sich gesellte, hatte ich mir nach eignem Entwurf eine Duschanlage einbauen lassen, eine zinkene Wanne direkt über meinem Baderaum, mit einem röhrenartigen Ausfluß hin zu einer durchlöcherten Scheibe, durch welche, sobald man an einem Kettchen zog, mehrere Eimervoll wohltemperierten Wassers die nackte Haut höcht angenehm berieselten und zugleich säuberten. Ich weiß nicht, welch innere Stimme mich an jenem Abend warnte – vielleicht hatte ich irgendwo über mir den Hall von Schritten vernommen –, jedenfalls streckte ich, nachdem ich das Kettchen gezogen, um unter die Dusche zu treten, zunächst nur die Hand aus: das Wasser, das da mit Kraft hervorschoß, war siedend heiß: jemand hatte geplant, mich, den nichts Ahnenden, zu verbrühen, tödlich möglicherweise sogar. Erschreckt bis ins Herz rief ich nach Prokosch; dieser eilte herbei und versicherte mich, er habe beim Abfüllen das

Wasser in dem Behälter über dem Dusch-Ausfluß selber geprüft und es weder zu kalt noch zu warm gefunden, sondern gerade recht, er wisse nicht, schwor er, wer dies Wasser ausgetauscht haben könnte gegen das siedende in den wenigen Sekunden, bevor ich mich in den Baderaum begeben; vom Personal keiner, des sei er sicher.

»Frau Anna Liane hierher!« befahl ich ihm – sofort und ganz gleich wo er sie finde, und in welchem Zustand. Sie stellte sich auch ein nach einer kurzen Weile, und da nun, wes das Herz voll ist, der Mund überläuft, sprach ich ihr, atemlos noch, von dem kochendheißen Wasser, das da aus meiner Dusche gesprüht war, und verlangte zu wissen, wo denn ihr Giuseppe um die fragliche Zeit gewesen, und bemerkte erst danach, daß sie meine Erregung in keiner Weise teilte, sondern eher belustigt war über mein mangelhaftes Kostüm und meine hastige Rede; schlimmstenfalls, erwiderte sie leichthin, habe es sich um einen dummen Bubenstreich gehandelt, der meinen Ärger und mein Geschrei nicht wert sei, und ich möchte mich doch bitte beruhigen.

»Bubenstreich, hah!« rief ich aus. Ein Anschlag wär es gewesen, ein mit Sorgfalt gezielter, auf meine Gesundheit, ja, mein Leben! Und was Wunder, mehr als einmal bereits sei mir aufgefallen, mit welch schiefem Blick der Bub, der nun schon im besten halbwüchsigen Alter, mich maß, mich, dem er alles verdankte, Kleider, Bildung und Komfort. Das Ganze jedoch, fuhr ich fort, hielte ich für das Ergebnis ihrer Erziehung und ihres Einflusses, aber bald genug werde sie erleben, wo sie abbleiben werde damit; meine Geduld sei nicht unerschöpflich!

Sie wurde blaß. Dann faßte sie sich und stritt jede Schuld ab. Sie habe stets versucht, den Buben Zuneigung zu lehren zu mir und Verehrung für mich. Ich aber hätte ihm gegenüber nichts als Herzenskälte gezeigt; ob ich, bei all meiner Sorge um Unsterblichkeit, denn nicht wisse, daß ein lebendiger Mensch, der meiner in Liebe gedenke, mehr bewirken würde für den von mir so

ersehnten Sieg über Tod und Vergessen denn hundert Rammel-
mayerscher Skulpturen!

Ganz plötzlich fror mich und mir wurde bewußt, daß ich
noch immer dastand, nackicht und kalt, und ich schlug mein
Badtuch um mich und floh und verkroch mich in meinem Bett
um ein bissel Wärme.

Um die Zeit auch kam der Dr. Wurda nach Wetzdorf, mein
getreuer Arzt, um mich wie jedes Jahr oder anderthalbe zu be-
klopfen und zu behorchen, den Urin zu beriechen und was
sonst noch, und ich sprach ihm von der inneren Unrast, welche
mich plagte und zu immer neuen Unternehmungen trieb, und
dem Unverständnis der Menschen um mich herum, und führte
ihn über die Baustelle meines Heldenbergs, und er blickte mich
an, kopfschüttelnd, erwähnte den Dichter Goethe und dessen
»Faust«, welcher auch nie zufriedenzustellen war, nicht einmal
vom Teufel, und meinte, da sei es doch einfacher, ich nähme mir
irgendwelche jungen Weiber und zeugte ein halb Dutzend oder
so Kinder; auch das ergäbe ein schönes Gewimmel, und billiger
wäre es auch.

Nicht gar so billig und nicht ganz so ohne Probleme, erwiderte ich, eingedenk meines kürzlichen Abenteuers mit dem
Knaben Joseph, der danach, ungerührt von meinem halb ausgesprochenen Verdacht und meiner strafenden Miene, auch weiterhin den jungen Herrn auf Schloß Wetzdorf spielte.

So lagen die Dinge, als mein Freund, der Marschall Wimpffen, mir seinen Hilferuf sandte.

CAPUT XVIII

Es gehe ihm schlecht, ließ er mir mitteilen, und ich möge doch, sobald ich könne, zu ihm kommen nach Wien.

Ich kannte Wimpffen zur Genüge, um zu wissen, daß er nicht wehleidig war und kein Hypochonder, welcher in jedem Bauchgrimmen einen Darmverschluß sieht und in jedem zusätzlichen Pulsschlag eine Herzattacke; außerdem wußte ich durch meinen Arzt, Dr. Wurda, welcher auch Wimpffens Hausarzt, von dessen ernsthafter Erkrankung; Wurda sprach von ihr als *terminal*, was immer das hieß; und so ließ ich die Chaise einspannen nach Stockerau und bestieg dort den Zug und war bei Wimpffen zwei Tage nach Erhalt der bösen Botschaft. Ich erschrak, als ich den Freund sah, ließ mir's aber nicht anmerken: eine mitleidlose Hand hatte sein Gesicht gekennzeichnet, und seine Augen, die sonst so voller Leben gewesen, waren in sich gesunken und fern, als hätten sie bereits in Weiten geblickt, die uns andern verschlossen.

Nach einer Weile schien er zu sich zu finden. Ich danke Ihnen, Pargfrider, sagte er, daß Sie gekommen sind. Und fügte hinzu, er fürchte, er werde nicht mehr allzu viele Gelegenheiten haben, Gespräche mit mir zu führen; es sei aber noch allerlei zu klären.

Ich legte meine Hand auf die seine, besänftigend, und spürte die alten Narben über den schlecht verheilten Knochen. Er möge sein Herz nicht unnötig strapazieren oder sein Gemüt, sagte ich; ich hätte alle Zeit der Welt für ihn, und hoffte außerdem, daß sein Zustand in Wahrheit nicht ganz so kritisch sei wie er, Wimpffen, im Moment vielleicht befürchte. Habe er denn nicht oft genug selber erlebt, daß alte Soldaten, wenn die Macht des Feindes bereits erdrückend, in sich noch Reserven fanden, von denen sie vorher nie geahnt, und mit frischem Mut und frischer Kraft den Kampf wieder aufnahmen und diesen siegreich bestanden?

Er lächelte schwach. Gut, gut, was er noch in sich habe an Reserven, werde er jetzt brauchen gegen die Horden seiner Gläubiger, die angesichts seiner Erkrankung, welche sich nicht habe geheimhalten lassen, ihn von überallher bedrängten. Und warum, fragte ich, habe er, statt sich der Meute auszusetzen, nicht längst mich zu Hilfe gerufen? – *ein* Gläubiger sei besser als ihrer eine Vielzahl. Aber diesem einen, sagte er, ein Anfall von Atemnot seine Stimme bedrängend, werde schon zu viel von ihm geschuldet. Das, sagte ich, möge er meinem Urteil überlassen. Er hustete, spie in einen Napf, und lehnte sich zurück in sein Kissen. Ich trocknete ihm die Stirn. Aber ich sähe doch, sagte er dann, daß er in dem bißchen Leben, das ihm noch bliebe, auch nicht den winzigsten Bruchteil der Kredite werde zu tilgen imstande sein, welche er über die Jahre bereits von mir erhalten, und erst recht würde er ohne Schaden an seinem Gewissen keinen neuen, großen von mir akzeptieren können; bei allem Vertrauen, das er in mich setze: er sei kein Schnorrer und wünsche nicht, in meiner Schuld zu sterben.

Ob er sich erinnern könne, fragte ich ihn, daß er mir bei einem ähnlichen Handel einmal schon als Sicherheit seinen Leib geboten, obwohl, wie er mich gewarnt, dieser durch Kugeln und Säbelhiebe leider längst ramponiert wäre. Nun, ich sei gewillt, diesen Leib jetzt in Zahlung zu nehmen, Lieferfrist wann immer es ihm koneniere.

Ich scherze wohl, sagte er und hustete wieder: eine Generalsleich sei auch nicht mehr wert als irgendeine andre, nämlich nichts.

Doch, doch, widersprach ich ihm; sein Leichnam habe für mich einen ganz distinkten ideellen Wert, als eine Art Talisman sozusagen, ein hochrangiger; ich sei eben, obzwar Freimaurer wie auch er mit Hang sogar zu rosenkreutzerischen Lehren, ein abergläubischer Mensch, und ich würd seinen Leib begraben lassen auf meinem Heldenberg nahe Schloß Wetzdorf, in meiner eigenen Gruft, und dort würden wir beide dann dicht beieinanderliegen bis zum Jüngsten Tag, wenn er nichts hätte gegen meine Gesellschaft und keine schönere Grabstätte wüßte, aber er hätte das Stückchen Erde, wo ich die Gruft angelegt, ja schon selber gesehen, ich hätt's ihm gezeigt damals, und er habe sich des längeren ausgelassen über die famose Aussicht weithin über das Land von der Anhöhe dort.

Ja, sagte er, und fing an zu lachen, aber er hätt auch gesagt, von unter dem Gras sei's eine andere Perspektive, oder etwas dergleichen, und das Lachen erschöpfte ihn so, daß er wieder ins Keuchen kam und ich die Pflegerin rufen mußte, welche ihm eilig ein Tränklein brachte, und ich bat ihn, sich zu beruhigen: das Ganze, wenn er's recht bedächte, wär ein ebenso gutes Geschäft für ihn wie für mich; er würde ausgesorgt haben für hier, denn ich würd mich kümmern um seine sämtlichen Gläubiger, und ich meinerseits würd mich nicht mehr beunruhigen müssen wegen drüben, denn einen besseren Schutzengel als einen k. und k. Feldmarschall selig könnte ein k. und k. Armeelieferant nicht haben, wenn die himmlischen Buchhalter kämen zur Nachprüfung seiner Konten. Und weiterhin, gäb's denn als letzte Ruhestätte für einen der tapfersten und tüchtigsten Militärs in Österreich was Stimmungsvolleres als meine Anlage auf dem Heldenberg?

Ich zog einen Zettel aus der Tasche, welchen der Rammelmayer mir gefertigt, und wies Wimpffen die Zahlenreihen darauf: 19 Statuen und 142 Büsten verschiedener Helden und fürstlicher Personen, bronzierter Zinkguß, verteilt über die gesamte Anhöhe, dazu im Park 11 Grenadiere in Paradeuniform mit Bajonett, handkoloriert, und 4 Statuetten, als weiteres Dekor ein Kreuz aus Eisen, 28 kleine messingne Kanonen, 34 ebensolche kleine Mörser, ferner ein Invalidenhaus mit steinernen griechischen Säulen zur Bleibe für die Armeeinvaliden, denen die Pflege der Anlage obliegen würde, und im Zentrum des Ganzen der Obelisk, unter welchem der Eingang zu Gruft und Grabgewölbe. Und alles mit edlen Bäumen bepflanzt und mit Gewächsen anderer Art, fein abgestimmt aufeinander und auf die Figuren; ich wünschte, sagte ich, ich könnt ihn warm einpacken und mitnehmen dorthin, damit er's noch einmal inspizieren könnt, wie es jetzt aussehe kurz vor der Vollendung, und sich eine Vorstellung machen von dem Ensemble; aber es würde ja wohl noch ein Weilchen dauern, bis er bereit sei zur Reise nach Wetzdorf.

Vielleicht doch nicht gar so lange, sagte er, doppelsinnig, und aus seiner Stimme sprach eine leise Trauer, die mir ans Herz griff, und ich wußte mir nur zu helfen, indem ich im muntersten Ton, der mir verfügbar, ihm ankündigte, ich würd ihm den Dr. Kalessa schicken, ehemaligen Oberfinanzrat beim Ministerium, meinen Notar, einen sehr guten Mann, der aufschreiben würde, welches die einzelnen Posten, deren Zahlung in voll zu leisten ich mich verpflichtete, und welchen Leuten sie geschuldet waren, und ihm eine Verfügung zur Unterschrift vorlegen des Inhalts, daß er, Feldmarschall Maximilian von Wimpffen, wenn er, was Gott noch lange verhüten möge, einst abberufen werde zu seinem Schöpfer, seine sterblichen Reste in meiner Gruft auf dem Heldenberg bei Klein-Wetzdorf, Amtsbezirk Stockerau, nach christlicher Absegnung derselben beigesetzt zu haben wünsche, gezeichnet: Namen.

Und nachdem der Dr. Kalessa bei ihm gewesen und Wimpffen, bei vollem Bewußtsein und vor Zeugen die Bestimmung unterschrieben, daß er wollte auf dem Heldenberg begraben werden in meiner Gruft, und nachdem ich, wie mit ihm besprochen, seine sämtlichen Gläubiger befriedigt, ließ ich eine Eilpost abgehen an den Feldmarschall Radetzky, gegenwärtig Oberbefehlshaber in der Lombardei und Venetien und Vizekönig in Mailand, mit der Mitteilung, wenn er Max Wimpffen noch einmal lebendigen Leibes sehen möcht und seine Hand halten und einen Abschiedskuß drücken auf seine Stirn, er baldmöglichst nach Wien kommen müßte; ich hätte das deutliche Gefühl, daß es zu Ende gehe mit unserm alten Freund, und ich meinte, Wimpffen würde sich doch sehr freuen über den Besuch und es würde ihm seinen Abgang ein wenig erleichtern.

Dann schickte ich einen Brief mit Instruktionen und Zeichnungen an den Schlossermeister Prüll in Wien, der die eisernen Gittertüren und den Deckel zu meiner Gruft gefertigt, er möge diese durch einige Zierate ergänzen, für welche Zeichnungen beigelegt – es waren das aber symbolische Abbilder von Maurerwerkzeugen wie Kelle und Zirkel und von Rosenblüten und verschränkten Händen, welche nur von Eingeweihten würden verstanden werden –, und ordnete an, daß ein Spruch angebracht werde auf einem metallenen Schilde, folgenden Wortlauts:

> Ihr glaubt, die Zeit vergeht!
> Toren!
> Weil ihr's nicht versteht!
> Die Zeit steht!
> Ihr vergeht!
> –.–.–.

Die Strich-Pünktchen-Markierungen am Ende nicht zu vergessen, denn diese waren die geheimen Klopfzeichen, mit welchen die Zusammenkünfte beendet wurden, an denen Wimpffen, Radetzky und ich so manches Mal teilgenommen.

An dem Abend kam meine Anna Liane zu mir und fragte, ob wir vielleicht miteinander speisen könnten, und als ich sie etwas befremdet anblickte, sagte sie, sie wisse sehr wohl um die tiefen Verstimmungen zwischen uns beiden, aber was sie mit mir zu besprechen habe, beträfe einen anderen, und darum. Da wir dann bei Tische saßen, zwischen uns die Suppenterrine, und ich die feinen Linien studierte, welche die Jahre um ihre immer noch schönen Augen geprägt, gedachte ich der Vergangenheit und sorgte mich zugleich um die Zukunft, denn was hatte sie einst für Hoffnungen gehegt, und ich fragte mich, ob sie nicht doch auf Vergeltung sann für den Verlust dieser Hoffnungen, und wenn nicht sie, dann ihr Balg, der Joseph alias Giuseppe, und ob nicht ein paar gezielte Worte von ihrer Seite genügt haben könnten zu veranlassen, daß einer das Wasser siedete zur Verbrennung meiner Haut und es abfüllte im genau rechten Moment in das Becken oberhalb meiner Dusche – der Teufel wußte, welch Gezücht sich ringelte an meinem Busen!

Aber nichts derart Persönliches brachte sie zur Sprache. Sie hätte, sagte sie statt dessen, von dem Zustand des Feldmarschalls Wimpffen gehört und schlüge vor, ich möge sie nach Wien schicken, ihre Harfe im Gepäck, damit sie ihn dort aufsuchen und ihm einige ihrer Lieder vorsingen könne – Musik, dies sei bekannt, lindere Schmerzen und erhelle düstere Stimmungen und könne sogar, unter Umständen, Sterbenden ihre schweren letzten Momente erleichtern; gewiß, ihr, Anna Lianes, Verhältnis zur hohen k. und k. Generalität sei durch ihre italienische Herkunft einigermaßen getrübt; doch richte sich ihr Abscheu in der Hauptsache gegen Radetzky; Wimpffen andererseits sei ihr stets nur ein liebenswürdiger Greis gewesen, der an jenem fernen Abend ihre Melodien reinen Herzens genossen, und zu welchem sie stets nur Zuneigung empfunden.

Ihr Anerbieten verwunderte mich, welch sonderbare Wege nahmen doch die Gedanken der Frauen; doch sah ich nichts Schlimmes an dieser Idee, und ließ mit meinem nächsten Boten nach Wien Wimpffen den Besuch meiner Anna Liane ankündigen mit der Maßgabe, er möge mir umgehend Mitteilung machen, falls dieser ihm unbequem; da er sich dahingehend jedoch nicht äußerte, sandte ich sie zu ihm und meinte wirklich, das kleine private Konzert möchte ihm ein paar angenehme Minuten bereiten.

Das Schicksal jedoch wollte es anders. Noch am Abend des Tages, an dem sie samt Harfe und Bedienstetem nach Wien gereist, kehrte sie zurück und eröffnete mir, tränenden Auges, »Er ist tot.«

In der Tat hatte Wimpffen wenige Stunden, bevor meine Liane an seiner Tür schellte, die Letzte Ölung empfangen und war friedlich dahingegangen; er hat nicht gelitten, versicherte mir der Dr. Wurda, von einer Sekunde zur nächsten hörte sein altes Herz einfach auf zu schlagen; und so trug der Arzt es auch ein auf dem Totenschein.

Blieb mir nur, die Vorbereitungen zu treffen für die Überführung des teuren Freunds – so teuer war er, nach den Zahlen, welche der Dr. Kalessa mir inzwischen vorgelegt, jedoch gar nicht gewesen –, und mit dem Hofkriegsrat eine eventuelle Beteiligung von k. und k. Armeedienststellen an der Beisetzung zu bereden. Anfänglich hatte ich gedacht, daß man zumindest ein wenig offizielles Theater um Wimpffen veranstalten würde, nachdem man ihn seiner siegreichen Gefechte und anderer Verdienste wegen bei der Pensionierung zum Kapitän der Ersten Arcieren-Leibgarde ernannt, einem hohen Ehrenposten, doch ohne jegliche greifbare Remuneration; aber der kaiserliche Adjutant Karl Graf Grünne, einer der kältesten

Menschen, die mir je begegnet, teilte mir zu meinem Erstaunen mit, Seine Majestät der Kaiser lege keinen gesteigerten Wert auf militärische oder andere Zeremonien für Marschall Wimpffen: ein halb Dutzend Trompeter, ein Peloton Infanterie, und eine Offiziersabordnung der Arcieren-Leibgarde genügten auf meinem Heldenberg, hieß es; er, Grünne, hätte sich sowieso einen etwas näher gelegenen Begräbnisort als Klein-Wetzdorf gewünscht und würde Wimpffen auch in diesem Sinne beraten haben, so der ihn gefragt hätte; aber die letztwillige Verfügung, welche ich ihm, Grünne, vorgelegt samt allen juridisch notwendigen Siegeln und Signaturen, sei ihm und S. M. natürlich Gesetz.

So waren es denn Schlagwetter & Söhne, ein normales kommerzielles Beerdigungsinstitut, wenn auch ein anerkannt gutes, in der Unteren Donaustraße, welches die Leiche Wimpffens übernahm und aufs trefflichste präparierte, um sie danach, gekleidet in seine letzte Prachtuniform, auf seidene Kissen in einen von mir gewählten ebenhölzernen Sarg zu betten, den ich ebenfalls mit freimaurerischen Insignien hatte beschlagen lassen. Und gerade da erreichte mich die Meldung, daß Radetzky, meiner Botschaft an ihn folgend, er möge sich sputen, wollte er Wimpffen noch lebend treffen, sich in höchster Eile auf dem Wege nach Wien fand: zu spät, dachte ich trauernden Herzens, zu spät, mein Lieber, und fragte mich, wie ich die schlimme Nachricht am schonendsten ihm beibringen möchte, denn war Radetzky nicht schon ein paar Jahre älter sogar als der verstorbene Freund und entsprechend gefährdet?

Der Zug aus Triest, erfuhr ich, der nächste, mit welchem Radetzky anreisen konnte, würde des nächsten Tags eintreffen; ich verschob also den Termin des Transports der Leiche bis nach dessen Ankunft und arrangierte, daß der schwarz ausgeschlagene Waggon mit dem Sarg darin am Wiener Nordbahnhof an den Zug nach Stockerau angekoppelt würde, in welchem Radetzky und ich dann reisen und so den Toten eskortieren könnten; bei unsrer Ankunft in Stockerau würde ein reich dekorierter Leichenwagen uns erwarten, schwarz und silbern, gezogen von sechs Rappen mit silbernem Zaumzeug und schwarzen Federbüschen, um, nachdem der Sarg umgeladen, den Leichnam den Rest des Wegs nach Wetzdorf zu überführen; Radetzky und ich würden in einer Trauerkutsche folgen – genügend Gelegenheit also, uns auszutauschen über die Fragen von Tod und Unsterblichkeit und einander zu helfen bei der seelischen Vorbereitung auf den letzten Abschied von dem Freunde.

War es nun die lange Bahnfahrt gewesen, die ihn trotz der hilfreichen Assistenz des Grafen Wenckheim, seines Schwiegersohns, und anderer seiner Stabsoffiziere doch sehr inkommodiert, oder das Gefühl des Verlusts eines langjährigen guten Kameraden, welches ihn belastete, oder einfach sein hohes Alter – Radetzky wirkte gebückt und müde, als er sich mir mit kurzen Greisenschritten näherte, und ich spürte sein nervöses Zittern bei der Umarmung, mit der ich ihn begrüßte. »Es werden unser immer weniger«, sagte er, »und die Zeit wird rauher und härter.« Nun waren die Zeiten, die hinter ihm lagen, auch nicht eben angenehm gewesen; dennoch ahnte ich, genau wie er, daß die zweite Hälfte unsres Jahrhunderts, mit ihren dampfgetriebenen stählernen Maschinen und ihren sonstigen Neuerungen, welche ich einst so freudig begrüßt, noch blutiger und brutaler sich gestalten würde als selbst die Ära Napoleons und Metternichs es gewesen, und mich fror.

»Ach ja«, seufzte ich, als wir in unserm Waggon einander gegenüber Platz genommen auf zwei gepolsterten Bänken – seine Offiziere hatten sich in ein anderes Coupé zurückgezogen –, »der Wimpffen wird uns fehlen: allein schon der Fakt war tröstlich, daß er da war und daß man ihn, notfalls, als Partner zur Verfügung hatte für eine Partie Tarock.«

Dann sprach er davon, wie sie früher einander stets abgelöst auf gefahrvollem Posten, und wie gern er den Freund noch einmal in die Arme geschlossen, und daß er, Radetzky, nun wohl als nächster an der Reihe sein würde zum letzten Zapfenstreich, und ich sprach ihm von dem schönen heiteren Marsch, welchen der Johann Strauß zu seinen, Radetzkys, Ehren komponiert und daß ich mit dem Gedanken gespielt, diesen blasen zu lassen schon beim Begräbnis von Wimpffen, aber dann bedacht hätte, daß bei solcher Gelegenheit eine getragenere Melodie vielleicht besser wär, und dementsprechend meine Anweisungen gegeben. Was er, Radetzky, durchaus billigte; und als dann, in Stockerau, die Trompeter und die Offiziers von der Arcieren-Leibgarde in ihren goldbetreßten bunten Röcken und glänzenden Stiefeln aus dem Zuge herauspolterten und sich in die bereitgestellten Pferdekutschen stürzten für die Weiterfahrt nach Wetzdorf, und er dann langsam auf den Perron trat, grüßte er sie alle freundlich und sagte in seiner breiten Sprechweise, »Ist gut, die Herren, wir werden dem Marschall eine schöne letzte Freud machen.«

In der Kapelle von meinem Schloß, welche ich hatte aufs prächtigste restaurieren lassen, haben wir den Toten dann aufgebahrt, und eigentlich sah er ganz froh und friedlich aus, muß ich sagen, der Wimpffen, ganz als wollt er uns bedeuten, ich hab's hinter mir, Leute, mich stört keiner mehr – und an mich persönlich gerichtet, dank deiner freundlichen Hilfe auch keine Gläubiger –, und dann kam der Pfarrer mit seinem Latein, und dann trugen sie Wimpffen hinauf auf die Anhöhe und hinüber zu dem Obelisken, und ließen den Sarg, Hand in Hand, hinunter in die Gruft, und der Radetzky und ich, wir tasteten uns dem Sarge nach die Stufen hinab, und Wimpffen wurde in die Nische geschoben links neben der Falltür im Boden, durch welche man zur unteren Etage des Grabgewölbes gelangt, wo ich einstmals liegen würde, wenn mein Tag kam vor der ewigen Nacht, und wir beide neigten uns vor dem Toten und sagten Adieu, und als wir dann wieder oben waren und hinaustraten ins helle Sonnenlicht – denn wir hatten das schönste Herbstwetter, Gott sei's gedankt –, sagte Radetzky zu mir, »Die andere Nische, Verehrter, haben Sie wohl für mich reserviert?«

Aber ich schniefte nur, als wär ich noch immer überwältigt von meiner Trauer um Wimpffen.

CAPUT XIX

Die zweite Nische blieb also noch frei; es war spürbar gewesen, deutlich, daß der, für den ich sie vorgesehen, sich sträubte.

Das war auch verständlich. Wer denkt schon gern nach über die lange, leere Zeit, die uns allen bevorsteht nach dem zu erwartenden Ende, und trifft seine entsprechenden Verfügungen mit Vorfreude im Herzen? Lieber schieben wir diese Unannehmlichkeiten so lang es geht vor uns her: weshalb auch sämtliche Religionen es für nötig erachteten, die ausführlichsten Entwürfe für das Leben nach dem Tode zu propagieren bis hin zur Sitzordnung drüben und den Musikprogrammen, einige sogar fügen Details hinzu über die zu erwartende Speisen- und Getränkekarte – und alles dies nur, um das jeweilige Jenseits den Hiesigen so recht attraktiv erscheinen zu lassen. Erstaunlich ist nur, daß die Leute nicht jubelnd und jauchzend hinströmen zu den himmlischen Pforten und sich um Einlaß drängen in die andere Welt, sondern, soweit ich beobachten konnte, so lange wie möglich auf dieser Seite zu verharren suchen.

So auch Radetzky, obwohl er, nahe Neunzig, Anlaß genug gehabt hätte, sich mit den Arrangements für seine Zukunft zu beschäftigen; seine Seele, sagte er mir, nachdem wir Wimpffen unter die Erde gebracht, werde sich wohl auch ohne nähere Anweisungen seinerseits ihren Weg zu bahnen wissen zu ihrem endlichen Ziel; er habe, von seinen Geldsorgen abgesehen, sein ganzes Leben lang frei und fröhlich gelebt, und irgendwer würde sich wohl darum kümmern, daß seine alten Knochen einigermaßen sauber verscharrt würden; außerdem fürchte er, wenn er jetzt bereits seine Leich weggäb, würd er gleich sterben, und dazu hätt er noch keine Lust; es wäre schon genug, daß er dies Jahr seine Frau Franziska begraben, und jetzt noch den Wimpffen – nun aber sei für jetzt Schluß.

Ich hab gewußt, wenn einer so denkt, soll man ihn nicht plagen, und hab meiner Gruft und des freien Platzes darin nicht weiter Erwähnung getan; ich hab nur gesagt, er sollt nicht vergessen, daß er den Theodor zu versorgen hätte, seinen Sohn, und die Fritzi, welch beider Einkommen höchst dürftig, und die Kinder von der Fritzi, und besonders die Fritzi selber, lägen auch mir am Herzen, er bräucht sich also in keiner Weise zu genieren, wenn er einmal das Bedürfnis hätte, mit mir über dies Thema zu reden; und er erwiderte, ich wüßte doch, daß er nie besonders genierlich gewesen, eher im Gegenteil, er wäre ein alter Soldat, welcher stets eine offene Sprache geführt.

Womit er seinen Waggon bestieg in dem Zug nach Triest und mir noch einmal freundlich zuwinkte, und seine Begleiter salutierten mich, und ich kehrte zurück nach Wetzdorf und betete, es möge ihm nur nichts zustoßen, denn er war mir doch schon sehr hinfällig erschienen.

Kurze Zeit danach beendeten der Rammelmayer und seine zwei Adlati, der Johann Fessler und der Anton Dietrich, ihre Arbeiten an meinem Heldenberg, und am Weihnachtsmorgen machte ich mich auf und promenierte, allein und feiertäglich gekleidet in meinen Zobel, über die gesamte Anlage, und dachte nach. Warum die Mühe, warum die Pracht, wer würde mir's lohnen? Würde's überhaupt einer verstehen? Verstand ich's denn? Ich hatte etwas Bleibendes schaffen wollen, wie die alten Griechen es mit ihren Tempeln getan, in welchen ihre Götter hausten und ihre unsterblichen Helden. Wenn ich schon selber kein solcher Held war, sondern ein Kaufmann in Leinen und Zwillich, suchte ich doch mich unsterblich zu machen, indem ich meinen Helden Quartier gab; vielleicht daß ein Schimmer ihres Glanzes abfiele auf meine armen gebeugten Schultern. Aber die Herren, denen ich zuvorgekommen durch mein Geld und meine Initiative mit Ehrungen, welchen von rechtswegen sie hätten Gestalt verleihen sollen, diese Herren würden meine Schöpfung nicht anerkennen noch deren Schöpfer; sie würden mich vielmehr belächeln von oben herab auf ihre süffisante Art und mir Ruhmsucht vorwerfen und ungehörige Arroganz, oder schlechten Geschmack gar, oder, schlimmer noch, mir ein paar lobende Wörter zuwerfen wie einem Hund einen alten Knochen, und mich einen braven Österreicher heißen und einen wahren Patrioten, einen kaisertreuen, und was dergleichen Sprüche mehr.

Aber was denn war Unsterblichkeit, für wie lange galt sie? Hundert Jahre, tausend, ein Zeitalter, ein Äon? Und was mußte einer tun, sie zu erringen? Sich ans Kreuz schlagen lassen wie Jesus? Oder Jesu Geschichte erzählen wie die Apostel? Einen großen Krieg führen wie Napoleon? Oder einen großen Krieg beschreiben wie Homer? Einen Staat vor Zerfall und Ruin bewahren wie Radetzky? Oder die Hintern einer Armee bekleiden wie Pargfrider?

Und was bedeutete ihre Unsterblichkeit den Unsterblichen? War sie ihnen bewußt zeit ihres Lebens? Hatten sie je die Gelegenheit, sich in ihr zu sonnen? Oder war besagte Unsterblichkeit nicht doch nur ein Hirngespinst in den Köpfen der Überlebenden und den Unsterblichen selber, die doch wohl erst tot sein mußten, bevor sie den erwünschten Status zu erreichen imstande, nichts als Asche zu Asche, Staub zu Staub – der einzig wahrhaft Unsterbliche unser Gott in den Himmeln, der seinen Geschöpfen die jeweilige Auferstehung ihrer unsterblichen Seelen verheißen: ohne Garantie allerdings, Gott ließ sich nicht festnageln.

Dieses bedachte ich, während ich dahinschritt, meine Spuren

hinterlassend in dem weichen weißen Schnee, und fragte mich, ob ich mir nicht eine Art Gottgleichheit angemaßt, indem ich die Abbilder der Unsterblichen über die Höhe meines Heldenbergs verteilt, zumindest der österreichischen, in Zink gegossen oder Stein gehauen samt Schnurrbärten, Orden und Achselstücken; aber war nicht meine ganze Idee schon sündhaft gewesen und eitel von Anbeginn an, so daß mir nichts anderes übrig geblieben als sie zu realisieren bis zu Ende?

Doch nicht Radetzky war es, der mich ansprach wie ich gehofft, sondern die Fritzi, seine Tochter, verheiratete Gräfin Wenckheim. Sie fuhr in der Post-Chaise von Stockerau her im Schloßhof von Wetzdorf vor, elegant und zierlich wie stets und eine Freude meinen Augen, und wünschte, nachdem sie sich erfrischt und ein wenig geruht, zunächst ihrem Onkel Wimpffen, wie sie ihn nannte, einen Besuch abzustatten. Ich führte sie zu ihm und beobachtete, mit welchem Interesse und welch wacher Miene sie sich umblickte dort unten, nachdem sie ihr Tüchlein gezogen und ein paar Tränen getrocknet; die leere Nische jedoch schien sie geflissentlich zu übersehen und fragte nur nach der Bedeutung der geprägten Symbole auf dem Deckel des Wimpffenschen Sargs und der schmiedeeisernen an der Tür zum Eingang der Gruft.

Danach dann, in meinem Salon, über einem Braunen mit Apfelstrudel, sprach sie mir von dem lebhaften Briefwechsel, welchen ihr Vater, trotz seiner Arbeitslast, mit ihr führte – vereinsamt nach dem Ableben der Mutter schrieb er ihr, je älter und schwächer er wurde, um so häufiger –, und wie er von seinem kargen Gehalt ihr die kostbarsten Geschenke sandte: Stoffe und Shawls, Gesticktes und Gewirktes, dazu die schönsten Weine, und Hummern die Menge und andre Delikatessen des Meeres, so daß sie schon nicht mehr wußte, wie sich zu revanchieren. Im letzten Brief, den sie erhalten, berichtete er ihr von der Schändlichkeit, wie vor der letzten großen Parade seiner Truppen zwei starke Husaren ihn, den alten Kavalleristen, auf den Rücken seines Pferdes hatten setzen müssen und wie er sich schämte, daß seine Beine bereits zu zitterig gewesen, den schweren Leib aus eigener Kraft in den Steigbügel zu heben. Und im gleichen Brief habe er ihr geschrieben, wie sehr in ihrer Schuld er sich fühle: denn wenn schon die Mutter ihr so erbärmlich wenig hätte vermachen können, empfände er es um so peinlicher und bedauernswerter, daß sie und ihr lieber Mann von ihm nicht viel mehr erben würden als ein altes Familienservice aus Wiener Porzellan, ein wenig Tafelsilber und bescheidenen Schmuck, und an Geld und Geldeswert nahezu nichts; im vergangenen Krieg, als die Revolutionäre seine Wohnung in Mailand stürmten, sei ihm alles, was er im Lauf seines Lebens hätte ansammeln können an Kunstgegenständen und Pretiosen, abhanden gekommen, ohne Ersatz, und es sei ihr ja wohl bekannt, daß heutigen Tags noch ein nicht unbeträchtlicher Teil seiner Gage seine Tasche nie erreiche, sondern vom kaiserlichen Schatzamt direkt an seine zahlreichen Gläubiger überwiesen würde. Er könne, habe er traurig hinzugefügt, nur auf Seine Majestät hoffen, daß diese sich nach seinem Tode gnädiger zeige als sie sich während seiner Dienstjahre je erwiesen.

Ich glaube nicht, daß Fritzi so zu mir sprach, um an ihres Vaters Statt oder gar auf seine Veranlassung hin an meine Großmut zu appellieren; ich kannte ihren Stolz und meine eigene niedere Stellung in der Skala ihrer Werte. Aber wie in plötzlicher Erleuchtung sah ich die Gelegenheit, auf diesem Weg und mit ihrer Hilfe meinen eigenen Zielen näher zu kommen, und schlug ihr vor, »Wie wär's, liebste Freundin, wenn wir beide zusammen noch einmal eine Reise unternähmen zu Ihrem Vater nach Mailand?« – und fügte hinzu, daß mit der Dampfeisenbahn und dem Dampfschiff diese zwar weniger unterhaltsam und landschaftlich weniger reizvoll sein würde als unsere erste damals per Postkutsche, dafür aber auch nicht so strapaziös und erheblich schneller; wir seien, sagte ich, Zeugen eines Fortschritts, wie ihn keine Generation vor uns in diesem Maße und binnen so kurzer Zeit erlebt, und müßten die neuen Gegebenheiten nur fleißig nützen, um zu großem Vorteil zu kommen.

Sie lachte und nannte mich ihren Haus- und Hof-Philosophen und meinte, ihr Gatte, der Graf, werde wohl keine Einwände gegen meinen Vorschlag erheben; auch wären ihre Kinder, die ihr bei unsrer ersten Reise noch Anlaß zu Sorge gegeben, nun genügend selbständig, um ihr zu gestatten, die Freude, die sie dem alten Manne mit ihrem unerwarteten Besuch bereiten würde, als den wichtigsten Gesichtspunkt bei ihrer Entscheidung zu betrachten.

Womit sie mich, indirekt, auf meinen Platz verwies – einen Platz, den ich während der ganzen Reise nur ein einziges Mal zu verlassen mir anmaßte: in Venedig, im Hotel du Commerce, wo wir, angesichts des Großen Kanals, unser Souper in ihrem Appartement einnahmen und ich, über dem Mokka, einen Blick von ihr zu erhaschen glaubte, welcher mir den Atem benahm und bewirkte, daß mir, wie bei einem Sterbenden, mein ganzes Leben in Sekundenschnelle noch einmal vor meinem inneren Auge vorbeizog: Vanitas vanitatum, hier war die Frau, die diesem Leben hätte Inhalt geben können; und ich kniete mich vor sie hin und legte mein Gesicht in ihren Schoß und spürte ihre Hand, die mir sanft und beruhigend über den Kopf strich.

Ich weiß nicht, was nach unserer Ankunft in der Villa Reale in Mailand Fritzi und ihr Vater im einzelnen miteinander beredeten; ich nehme jedoch an, daß die Frage der Hinterlassenschaft des Marschalls eine gewisse, ja, die zentrale Rolle dabei gespielt. Wie auch immer, als er und ich uns zu unserm Gespräch zusammenfanden, brauchte ich ihn nicht mehr von der Vernunft und Rechtlichkeit meiner Absichten zu überzeugen; in der Hauptsache ging es darum, eine Summe zu bestimmen, die seine Verpflichtungen ein für allemal ablöste und seinen Kindern,

Fritzi vor allem, eine einigermaßen sorgenfreie Existenz sichern würde. Und dann die große Überraschung: »Würden Sie, lieber Pargfrider, nicht nur als Betroffener meines Testaments, sondern auch als dessen Vollstrecker agieren?«

Ich – ein Bürgerlicher, ein Fetzentandler, wenn auch ein emporgekommener – als Testamentsvollstrecker eines Grafen von altem Adel, eines kaiserlichen Feldmarschalls? Selbst wenn juridisch möglich, war eine solche Maßnahme ratsam und mochte sie nicht zusätzliche Schwierigkeiten schaffen bei meinen Bemühungen um seine letzte Ruhestätte? Natürlich, sagte ich, würde ich ihm jeden Freundschaftsdienst, so auch diesen, erweisen; aber habe er sich die Proposition auch in all ihren Aspekten durchdacht?

Er strich sich über den weißen Schnurrbart, den er nun trug. Wen sonst sollt er wohl wählen für den Part, wollte er von mir wissen, und blinzelte mich an mit seinen entzündeten Lidern. Einen k. und k. Offizier? Einen Advokaten? Sie alle würden in die Knie gehen, wenn's drauf ankam, und wer in Wien oder Pest oder Mailand, außer mir, Pargfrider, besäße die notwendige Willenskraft und das Rückgrat, um dem Druck des Hofkriegsrats zu widerstehen, und wer die notwendigen Mittel? Entweder ich wollt ihn bei mir begraben in meiner Gruft auf dem Heldenberg, wie ich ihm angedeutet, dann müßt ich's auch durchkämpfen können, oder ich hätt seine Leich gekauft für teures Geld und ließ sie mir zu guter Letzt noch unter dem Hintern wegziehen, und das sei doch wohl nicht der Zweck des Ganzen gewesen.

Schließlich entwarfen wir den Teil seines Testaments, der ihn und mich betraf, wie folgt: *Ich bitte meinen alten Freund Pargfrider, bei welchem ich in seinem Park zu Wetzdorf am Heldenberg, zur Seite meines alten Freundes, Marschall von Wimpffen, beigesetzt zu werden wünsche, der Testamentsvollstrecker meines Letzten Willens zu sein, dessen Ausspruch alles überlassen bleibt.*

Ich erinner mich seiner Erleichterung noch genau, wie er sich zurücklehnte in seinem Stuhl, dessen Armpolster schon recht abgeschabt, und hör ihn seufzen, »So, jetzt kann ich unbekümmert und Gott dankbar der letzten Stunde entgegensehn.«

CAPUT XX

Er hatte es geahnt, schrieb er mir. Sobald er testamentarisch über seinen Leib verfügt, habe dieser, als fühlte er sich beleidigt, ihm den Dienst zu verweigern begonnen; häufiger, peinvoller Husten plage ihn neben der Steife in seinen Gelenken, und die Pillen und Säfte und Salben des Dr. Wurzian, Oberstabsarzt seiner Armee, hülfen ihm wenig oder gar nicht. Ich schrieb ihm zurück, Unsinn, Aberglaube: habe sein Leib ihm so lange brav gedient, werde er's wohl auch noch weiter tun in altgewohnter Weise; und hätte er mir nicht selber erzählt bei meinem kürzlichen Besuch in Mailand, wie dem General Wallmoden, als der neben ihm saß bei der Abendtafel in der Villa Reale, der Kopf plötzlich auf die Brust gesunken wäre über dem Fleischgang, er aber, der viel Ältere, fröhlich durchgefressen und -gezecht hätte bis nach Mitternacht; und die große Visite der Majestäten bei ihm, welche gerade angekündigt worden in der Presse, werde ein übriges tun und seine Geister neu beleben.

Ich erwartete nicht von ihm zu hören während des kaiserlichen Besuchs; aber auch ohne eine direkte Schilderung aus seiner Feder konnte ich mir vorstellen, wie Franz Joseph, geleitet auf der einen Seite von seinem greisen Feldmarschall, auf der andern von der schönen jungen Kaiserin, der Sisi, sich dem Volk seiner italienischen Provinzen in der vollen Gloria seiner Männlichkeit und Macht zu präsentieren suchte; das übrige, die Zurückhaltung, ja Feindseligkeit dieses Volkes, konnte man den Zeitungen, besonders den Wienerischen, entnehmen, wenn man nur einigermaßen zwischen den Zeilen zu lesen verstand, und ich befürchtete, der Kaiser werde seine Enttäuschung und seinen Zorn gegen Radetzky richten, obwohl er es diesem überhaupt erst verdankte, daß er sich in Venetien und der Lombardei noch in der Rolle des Souveräns zeigen durfte. Inmitten der Rundreise, in Verona, so entnahm ich einem hastigen Billett von Fritzi, habe Majestät dann während eines festlichen Nockerlnessens mit zwei Dutzend mühsam zusammengetrommelter örtlicher Ehrengäste ihren Vater huldreich von der Pflicht dispensiert, ihn und die Kaiserin weiterhin zu begleiten, und der Vater habe ihr angedeutet, die Nockerln von Verona möchten sich, auch wenn sie den allerhöchsten Mägen durchaus bekömmlich gewesen, als der Anfang vom Ende seiner langen Karriere erweisen, und sie möge sich nicht wundern, wenn sie höre, er sei seiner Dienstleistung enthoben.

In der Tat, so erfuhr ich ein wenig später durch ein Handschreiben Radetzkys an meine Person, habe sich Graf Grünne, der Generaladjutant des Kaisers, alsbald bei ihm eingestellt und ihm nahegelegt, um seinen Rücktritt einzukommen; man würde sein Gesuch günstig bescheiden, ihm eine Ehrengabe in angemessener Höhe zusprechen und ihm gestatten, jederzeit in jedem von Seiner Majestät Schlössern zu logieren, sowohl zu Stra, Monza, in der Villa Reale zu Mailand als zu Wien Seiner Burg oder im Palast des Augartens, ganz nach Wahl, so daß Majestät sich des erprobten Rats seines Marschalls, politisch und militärisch, erfreuen könne, wann immer Majestät dessen bedürfe.

So betrüblich und bar jeder menschlichen Größe der Vorgang mir auch erschien, ich empfand eine gewisse Genugtuung: war mein alter Freund doch in der Lage, dank meiner Generosität, der Impertinenz des Grafen Grünne ein gelassen heiteres Lächeln entgegenzusetzen nach der Devise etwa, mir könnt ihr, bei all eurer Bosheit und Kleinlichkeit, nichts mehr anhaben.

197

Nicht lange darauf ließ Fritzi mich wissen, ihr Vater habe sich entschlossen, zum Genuß seines wohlverdienten Ruhestands nicht nach Wien oder Pest oder in seine böhmische Heimat zurückzukehren, sondern in Mailand zu verbleiben, mit welcher Stadt ihn so viel verband, Böses und Gutes – und, dem kaiserlichen Angebot folgend, justament in der Villa Reale zu residieren, die Gouverneurspalast und Stabsquartier in einem war und ihm erlaubte, von seinen Räumlichkeiten dort Verbindung zu seinen alten Offizieren zu halten und kritischen Auges die Aktivitäten seiner zwei Nachfolger aus nächster Nähe zu beobachten, des jungen Erzherzogs Ferdinand Max, der die Regierungsgeschäfte nun versah, und des Feldzeugmeisters Grafen Gyulai, dem Graf Grünne bei dessen Bestallung als Oberkommandeur der Armee in Italien den schönen Rat auf den Weg gab, Was der alte Esel, der Radetzky, gekonnt hat, werden Sie wohl auch noch schaffen; Gyulai erließ als erstes den Befehl, daß alle Mann, einschließlich Offiziers, bei Paraden schwarze Schnurrbärte vorzuweisen hätten, blonde seien einzufärben, wer ohne Schnurrbart, habe einen solchen mit Stiefelschmiere aufzumalen. Bei der Abschiedsparade des Ulanenregiments Ferdinand II. – hier folge ich der Augsburger Zeitung, welche ich subskribiert – habe der Alte, nachdem der von dem Musikus Strauß frisch komponierte Radetzky-Marsch erklungen, seinen Soldaten zugerufen, er gedenke keineswegs, sich von ihnen zu verabschieden; vielmehr versprach er ihnen, »Ich bleibe weiter unter euch!«

Aber das Schicksal entschied anders.

Die Schrift auf dem Briefchen, das ich als nächstes von Fritzi erhielt, war stellenweise verwischt von Tränenspuren. Ihr Vater wäre ja, schrieb sie, stets von exemplarischer Galanterie gewesen; andere, in seinen Jahren, hätten sich ein paar Höflichkeitsgesten geschenkt, nicht so er; und als die Gräfin Wallmoden, seine Dinnerdame an jenem Abend, sich zur Heimfahrt entschloß, habe er darauf bestanden, sie zur Tür des Speisesaals zu geleiten, glitt, mit den frisch gewichsten Stiefeln, auf dem Parkett aus und konnte sich, trotz der Bemühungen seiner Adjutanten, nicht mehr erheben; der Dr. Wurzian, sofort herbeigeeilt, habe einen Oberschenkelhalsbruch, wie er es nannte, vorgefunden, Hüfte und Bein ruhigzustellen versucht und strikte Bettruhe verordnet; Dr. Wurzians Prognose verheiße wenig Gutes, und die Leiden des Vaters, die ihm Schlaf und Ruhe raubten, würden durch die Mittel, welche zur Verfügung, kaum gelindert – nur beim Tarock mit seinen Adjutanten vergäße er die schlimmen Schmerzen mitunter –, das Übelste aber wäre, daß er sich der mangelnden Möglichkeiten einer endlichen Heilung oder auch nur Besserung seines Zustands völlig bewußt sei wie auch der sichtbaren Zeichen seines körperlichen Verfalls: er wünsche, keine seiner Lieben mehr zu sehen, selbst sie, Fritzi, nicht – dasselbe, nehme sie an, gelte auch für mich –, man solle sich seiner erinnern, wie er in besseren Tagen gewesen, habe er, ein zittriges Addendum, noch geschrieben; ihm bleibe nur, was Gott verfügt, als guter Christ und alter Soldat zu ertragen.

Doch sein Leib erwies sich, ganz wie ich ihm seinerzeit vorausgesagt, als äußerst zäh; nach fast sechs Monaten Schmerzenslager schrieb er an Fritzi, und diese berichtete es mir, seine Gesundheitslage sei unverändert, und so lebe er in jammervoller Zeit fort, seine einzige Freude, daß er ihr 50 Bouteillen Asti und 200 Stück Arsenal-Austern von Venedig habe schicken können; er hoffe, daß alles gut und zu ihrer Zufriedenheit ankommen werde. Von seinem Generaladjutanten, dem Oberst Staeger von Waldburg, erfuhr ich dann, nachdem der Patient zu Weihnachten noch einmal Tarock gespielt, habe der Dr. Wurzian ihn, Staeger, wissen lassen, Lunge und Herz seines Chefs hörten sich an, daß man daraus nur schlußfolgern könne, er werde das neue Jahr kaum mehr erblicken; in der Sylvesternacht habe der Marschall gebeichtet und die Kommunion empfangen und in der Nacht darauf, Neujahr, die Letzte Ölung; da er die Stimme verloren, habe man geglaubt, daß er schon ohne Bewußtsein, plötzlich aber habe er die Augen wieder geöffnet, das Zeichen des Kreuzes gemacht und erst darauf seine Seele ausgehaucht.

Nach Erhalt der Nachricht vom Tode des Freundes befiel mich minutenlang eine Art Lähmung; zuviel hatte mich mit ihm verbunden, als daß ich, obwohl lange schon vorbereitet auf das Geschehen, es ohne Erschütterung hätte hinnehmen können. Ich begab mich, unfähig jedes Gedankens, hinauf zu meinem Heldenberg und lief dort, wie blind, umher, vorbei an der Statue des Verstorbenen und hinüber zu meiner Gruft unter dem Obelisken, in welcher dieser, wenn alles ablief wie er und ich vorausbestimmt, binnen errechenbarer Frist auf immer gebettet sein würde; und die Bilder unsrer zahlreichen Begegnungen zogen an mir vorbei wie ein Panorama; aber nun war es abgelaufen, und nur das allerletzte Bild fehlte noch. Zurückgekehrt zum Schloß, begegnete ich auf der Treppe des Haupthauses meiner Anna Liane, welche mit einem Lächeln, in dem ich eine Art von Triumph zu erkennen glaubte, mir mitteilte, ein Kurier vom Hofe sei eingetroffen; von ihm wisse sie, was vorgefallen, und bedaure meinen Verlust, der allerdings nicht der ihre. Ihr kühles, um nicht zu sagen feindseliges Verhalten gab mir, sonderbarerweise, ein wenig von meinem inneren Gleichgewicht zurück, so daß ich das Schreiben, welches der Kurier mir sodann übergab, mit geziemender Fassung lesen konnte: darin eröffnete mir Se. Excellenz Generalmajor Freiherr Kempen von Fichtenstamm, kaiserlicher Minister des Inneren und Gebieter der geheimen Polizei, er wünsche mich in Sachen der Beisetzung des allseits betrauerten Feldmarschalls Grafen Radetzky dringend zu sprechen.

Nun war Kempen mir kein Unbekannter; in der Tat hatte ich,

und aus guten Gründen, seine Büste nachträglich bei Rammelmayern in Auftrag gegeben, um sie auf meinem Heldenberg in unmittelbarer Nachbarschaft des Standbilds seines Herrn, des Kaiser Franz Joseph, aufstellen zu lassen; Kempen hatte mir jedoch, diskret wie er war, angedeutet, es sei ihm lieber, wenn ich ihn etwas weiter weg in den Schatten plazierte. Der Minister, seinem Amte gemäß, spann seine Fäden nach den verschiedensten Richtungen; vor allem hatte er, über Graf Grünne, eine direkte Verbindung zum Ohr Seiner Majestät und hatte, nachdem er selber den Heldenberg besichtigt und höchlichst beeindruckt gewesen war davon, meinen untertänigsten Wunsch an Grünne übermittelt, der Kaiser möge bei nächster Gelegenheit sich doch selber überzeugen von dessen großzügiger Anlage und künstlerischen Qualitäten, die Loyalität der Gesinnung gar nicht zu erwähnen, die ihren Ausdruck darin fand – leider war meine Bitte erfolglos geblieben. Kempen also lud mich ein, ihn umgehend in Wien aufzusuchen; da aber nicht ich mit ihm, sondern er mit mir zu verhandeln plante, lud ich ihn ein, durch den gleichen Kurier, den er mir gesandt, mich in Wetzdorf aufzusuchen.

Was er denn auch am nächsten Tag schon tat, begleitet von dem Generalauditor Linhardt, wohl weil er vermutete, es möchte Finanzielles zur Sprache kommen, welches sofortiger Beratung mit dem zuständigen Beamten bedurfte. Ich wisse ja, begann er aufs freundlichste, welch hohe Meinung er von meiner Treue zum Kaiserhause und meinen Beweggründen für die Errichtung dieser großartigen Gedenkstätte für die Helden der österreichischen Armee hege; dazu käme, daß er, obzwar kürzlich erst, über Graf Grünne von der Wahrscheinlichkeit meiner familiären Bindungen an das Haus Habsburg erfahren, welche allerdings in den Überlegungen Seiner Majestät bezüglich der Beisetzung des Grafen Radetzky kaum eine entscheidende Rolle gespielt haben dürften – Generalauditor Linhardt bemühte sich, absolut gleichgültig dreinzuschauen, während er, Kempen, seine Lippen verzog nach Art der Teilnehmer eines Herrenabends bei der Erwähnung eines schlüpfrigen Vorfalls in besseren Kreisen –, auf jeden Fall möchte er mich informieren, fuhr er fort, daß Majestät zur besonderen Ehrung des Toten als letzten Ruheplatz Seines verehrten Feldmarschalls die Begräbnisstätte seines eigenen Hauses vorgesehen, in welcher sonst nur Mitglieder der kaiserlichen Familie zu liegen kämen: nämlich die Kapuzinergruft in Wien, und daß ich als Testamentsvollstrecker des Marschalls, von welch meiner Eigenschaft man nun auch allerhöchsten Ortes Kenntnis genommen, mein Einverständnis dazu geben möge.

In Voraussicht von etwas Derartigem hatte ich mir bereits vor dem Eintreffen Kempens die betreffenden Seiten des Testaments meines Freundes zurechtgelegt; diese zog ich nun hervor und präsentierte sie ihm zur Einsicht, und danach dem Generalauditor, welcher etwas von einem Pfund Fleisch murmelte und dem Juden Shylock. Ich hielt es für besser, des Generalauditors Sotto voce zu überhören, und erklärte, daß ich nur zu gern den Wünschen Seiner Majestät nachkäme, gereichten diese doch dem Toten zur höchsten Ehre; aber Se. Excellenz Kempen sowie der Herr Generalauditor könnten sich hier, auf diesen Blättern, mit eigenen Augen überzeugen, daß – und in welch eindeutiger Sprache! – der Feldmarschall über seinen Leichnam und dessen letzte Lozierung verfügt, und daß ich nicht nur in meiner juridischen Eigenschaft als Testamentsvollstrecker, sondern, mehr noch, als sein treuer persönlicher Freund mich an seinen Willen und Wunsch zu halten verpflichtet sei.

Kempen blickte mich schwermütig an. Ähnliches, nickte er, habe er von mir erwartet; aber ich müsse doch einsehen, in welch fatale Lage ich Se. Majestät versetze; als oberster Kriegsherr könnten Majestät einen so ruhmreichen Heerführer und Helden wie den Marschall Radetzky nicht wohl auf dem Grund

und Boden irgendeines Untertanen verscharren lassen, bei welcher Gelegenheit Majestät sich auch noch höchstselbst an die offene Grube begeben müßten; ebensowenig aber könnten Majestät es gestatten, daß der Retter Österreichs und nb. des allerhöchsteigenen Thrones in kaiserlicher Abwesenheit beigesetzt werde.

Ich erwiderte, ich verstünde Sr. Majestät Dilemma durchaus, vor allem da Majestät ja nicht den Grund und Boden irgendeines Untertanen aufsuchen müßten, sondern dieses besonderen, dessen bekannte Verdienste um Ärar und Armee man bisher so vornehm mißachtet habe; noch nie sei mir die Gunst zuteil geworden, in die allerhöchste Gegenwart geladen zu werden, persönlich oder zu einer offiziellen Feierlichkeit, und nun sähen Majestät sich gezwungen, sich auf mein Eigentum und in meine Gegenwart zu begeben zu einer von mir veranstalteten Zeremonie, während welcher Majestät nicht umhin können würden, meiner Person höchstdero Respekt zu erweisen; doch ließe sich, so meinte ich, bei einigem guten Willen der mißlichen Lage Sr. Majestät leicht genug abhelfen; auf meiner Seite sei dieser gute Wille vorhanden – siehe das hiermit überreichte Dokument.

Mit welchen Worten ich Kempen einen vom 12. Jänner 1858 datierten Brief übergab, darin meine Zusage, bei Anwesenheit Sr. Majestät in Schloß Wetzdorf Sr. Majestät das Gut Wetzdorf mit Zubegriff des Heldenbergs samt Schloß und dessen Einrichtung als Sein Eigentum zu Füßen zu legen; ein rechtskräftiger Kontrakt, vordatiert vom 1. Jänner 1858, sei über mein Geschenk an Se. Majestät abzuschließen, demzufolge Majestät mir im stillen als Gegengeschenk Eine Million Gulden conventioneller Münze geben, zahlbar in vier Raten bis 1. Jänner 1860 plus 5 perz. Zinsen Vergütung; ausbedungen wird ferner, daß ich bei meinen Lebzeiten mit meiner kleinen Dienerschaft ungestört weiter im Schloß wohnen sowie die Wagenschuppen, Stallungen, Keller, Gärten und Salons werde benutzen können. Sollte vom Allerhöchsten Hof das Schloß in Nutzen genommen werden, würde ich mich auf meine persönliche Wohnung von 5 Zimmern darin beschränken. Ferner dürfe die in der Gruft errichtete Grabstätte keinem anderen als ihrem ursprünglichen Zweck unterliegen.

Kempen schob, wortlos, meinen Brief dem Generalauditor zu; den Blick zu beschreiben, welchen die beiden Herren danach miteinander tauschten, würde die Feder eines begabteren Schriftstellers erfordern, als ich es bin; jedenfalls äußerte der Herr Minister des Inneren und der Geheimpolizei sich schließlich dahingehend, daß er sich nicht für befugt halte, mir eine Antwort auf mein Angebot, weder im Positiven noch Negativen, zu erteilen; man werde die Frage zweifellos am Hofe erörtern wollen und mich dann wohl bitten müssen, zu einer weiteren Besprechung mich diesmal nach Wien zu bemühen; in Anbetracht der Tatsache, daß der verehrte Tote, per Dampfschiff und Eisenbahn, bereits auf dem Weg nach Wien, sei Eile vonnöten; man müsse an Ort und Stelle und direkt miteinander reden.

Das hieß, mit Graf Grünne, und durch Grünne, mit dem Kaiser. Nach all der Trauer, die mich über den Tod des alten Freundes und Kampfgenossen erfüllte, war dies der erste freudige Moment, den ich wieder erlebt; ich hatte sie, wo ich sie haben wollte, sie mußten mit mir verhandeln, von gleich zu gleich. Und wieder saßen mir, dieses Mal jedoch in Grünnes Kabinett in der Wiener Burg, zwei von ihnen gegenüber: Kempen, und Grünne in eigner Person – Grünne die Liebenswürdigkeit selber. Er habe, ließ er mich wissen, längst mir begegnen wollen, schon wegen meiner hohen Abkunft, welche ihm von gewisser Stelle zuverlässig zu Ohren gekommen; was mich veranlaßte zu bemerken, daß er da vielleicht mehr wisse als ich: ich hielte es mit dem Kaiser Napoleon, welcher bekanntlich festgestellt, daß über eines Mannes Paternité sich mit letzter Zuverlässigkeit nichts aussagen lasse.

Grünne entgegnete darauf, daß meine Forderung auf eine verschwiegene Million als Zahlung für mein Geschenk an Majestät ihm als ein weiteres Indiz erscheine für meine noble Abstammung, indem sie nämlich Zeugnis ablege von einer wahrhaft habsburgischen Geschäftstüchtigkeit; doch hätte ich meine Proposition wohl nicht in der Erwartung gemacht, sie könne in der von mir gegebenen Form in toto akzeptiert werden. Ich antwortete darauf, er möge auf dem Notizblock, der da vor ihm läge, kurz einmal überschlagen, wieviel ich in Wetzdorf, einschließlich Schloß und Ländereien und Heldenberg und dessen künstlerischer Ausgestaltung investiert; dann werde er fraglos feststellen, daß mein Vorschlag sich in durchaus angemessenen Grenzen halte. Er seinerseits erwiderte etwas von übergroßer Geldgier, für die ich ja bekannt wäre und angesichts welcher es ihn geradezu jucke, Majestät zuzuraten, die Zeremonien um den verstorbenen und von allen beweinten Feldmarschall Grafen Radetzky mit einem Hochamt im Stephansdom abzuschließen, Punktum; ich könne mir dann die Leiche in Wien abholen und mit ihr machen, was ich wolle.

Ich wußte, daß just hier meine Schwäche lag, und spürte die plötzliche Blutleere in meinem Gehirn. Und Grünne war der Mann, diese Schwäche rücksichtslos auszunutzen: wenn er dem Kaiser erfolgreich ins Ohr zu träufeln imstande, daß Radetzky auch ohne kaiserliche Präsenz unter die Erde gebracht werden könne und der Skandal, der darauf folgen mußte, bald genug vergessen sein würde, dann mochte ich meinen Heldenberg plus sämtlichen Skulpturen darauf und all meine Gedanken an Unsterblichkeit getrost unter den Arm packen und mich trollen. Also faßte ich mir ein Herz, was gar nicht so leicht war nach den vielerlei Emotionen, welche ich in den letzten Tagen durchlitten, und bezog mich auf das alte Wort von dem geteilten Schmerz, welcher darum nur ein halber, und konzedierte Grünne, man müsse dem Kaiser ja nicht unbedingt das ganze Besitztum zu Füßen legen, der Heldenberg allein und separat tät's auch –

Und die verschwiegene Million reduziere sich dann auf 500 000, oder wie? erkundigte sich Kempen, und bevor ich mich zu der Frage noch äußern konnte, stieß Grünne nach, »Wenn Majestät nun aber sagen, nichts gibt's, keinen Heller?« Keinen Heller conventioneller oder irgendeiner anderen Münze, erläuterte er weiter; einem Mann von Ehre, als welchen der gegenwärtige Chef des Hauses Habsburg sich ja wahrscheinlich betrachte, sei zwar gestattet, Geschenke zu akzeptieren, selbst von Bürgern – aber für derart Geschenke auch noch zahlen? Das nun wohl doch nicht.

Ich erlaubte mir, mich auf die lange, ruhmreiche Geschichte der Habsburger zu beziehen, während welcher solche Geschäfte mehr als einmal getätigt worden; aber ich wußte, all mein Reden war vergebliche Liebesmüh, und überlegte mir, daß ich den Heldenberg ja nicht mit dem Gedanken gebaut, meine Auslagen mir aus der kaiserlichen Schatulle zurückzuholen; nein, vom ersten Moment an, da ich die Idee gehabt, handelte es sich dabei um eine Investition ganz anderer Art mit einer Rendite ausschließlich geistig-moralischer Natur, und wenn dies mein Unternehmen nun zur Reife kam, durfte ich es mir nicht durch kleinliche Geldhändel verderben. So erhob ich mich denn zu voller Größe und rief aus: »Dann berichten Sie, Graf Grünne, an Majestät, daß ich ihr hiermit den ganzen Heldenberg vor die Füß werf; soll er ihn haben mit allem, was drauf steht, samt meiner Gruft und deren Insassen, jetzigen und künftigen; und daß ich auf jede Entschädigung verzicht, jetzige und künftige; mög der Happen ihm wohl bekommen und mög er jedesmal, wenn er seine eigne Statue erblickt am Ende der Hauptallee, sich erinnern, wer es gewesen, der ihm zu seiner Unsterblichkeit verholfen!«

»Unsterblichkeit!« wiederholte Kempen, und ich dachte, ich hörte ein halblaut gesprochenes *Nebbich* von seinen Lippen, zweifelte dann aber an der Zuverlässigkeit meines Ohrs, da einer aus dem Hause von Fichtenstamm sich doch wohl kaum eines Worts aus diesem Vokabular bedienen würde.

CAPUT XXI

Majestät, ließ Kempen mich wissen, hätten sich sehr zornig gezeigt über mein Geschenk und die Weise, bar jeder geziemenden Ehrfurcht, wie ich's Majestät angetragen; wer ich denn glaubte, daß ich sei, hätten Majestät sich empört, einem Minister seiner Majestät eine derart anmaßende Haltung der Majestät gegenüber zu demonstrieren! – doch wären Majestät nicht zornig genug gewesen, um nicht durch eine Person seines Vertrauens, das Mitglied des Hofkriegsrats Feldmarschalleutnant Schlitter, Erkundigungen detaillierter Natur einziehen zu lassen über meinen Heldenberg: wenn man schon keine Katz im Sack kaufe, hätten Majestät zu scherzen geruht, so ließe man sich erst recht keine solche als Geschenk unterschieben. Nachdem er seine Inspektionstour vollendet, saß Schlitter noch mit mir beisammen über einem Glas meines Tokayers, welchen meine Anna Liane mit aller Anmut, deren sie fähig, uns in meinem Napoleonzimmer kredenzte, und äußerte, wie beeindruckt er sei durch den Adel des Geistes, der über der Gedenkstätte schwebe, und nicht weniger von der noblen und würdigen Realisierung des Ganzen; er werde nicht versäumen, Majestät entsprechend zu berichten.

Was das Dilemma des Kaisers noch verschlimmern mußte; denn wenn er angesichts von Schlitters günstigem Rapport sich entschloß, nicht nur in höchsteigener Person meinen Heldenberg aufzusuchen und dort dem Begräbnis Radetzkys beizuwohnen, sondern dazu noch das gesamte Areal meines Besitzes als kaiserliches Eigentum zu akzeptieren – ein Geschenk ihm hingeworfen mit lässiger Hand von einem Hausierer dunkler Herkunft, welcher sich zum Lieferanten seiner Armeen emporgearbeitet –, so begab er sich immer tiefer in meine Schuld. In dieser Situation, so erfuhr ich durch Kempen, erwies sich Karl Graf Grünne, des Kaisers Generaladjutant, wieder einmal als der deus ex machina; Grünne erinnerte sich nämlich und erinnerte seinen Herrn entsprechend, daß dieser über Güter ideeller Natur verfügte, welche, obwohl sie das kaiserliche Schatzamt höchstens ein paar Kreuzer für Schreibpapier kosteten, bei den meisten seiner Untertanen – und erst recht bei einem geltungssüchtigen Menschen wie mir! – höher noch im Kurs standen als jegliche Remuneration handfesterer Art; konkret gesprochen: Titel und Orden.

Grünne also schlug dem Kaiser vor, mich mit sofortiger Wirkung in den Ritterstand zu erheben und mir das Komturkreuz des Franz-Joseph-Ordens zu verleihen – welch Maßnahme außerdem Majestät der Verlegenheit entheben würde, an einer so außerordentlichen Zeremonie, wie es die Beisetzung Radetzkys zweifellos wäre, auf dem Besitztum eines Angehörigen der niederen Stände teilnehmen zu müssen: Adel des Eigners, wie bekannt, adelte auch dessen Eigentum. Dem Kaiser nun habe Grünnes Vorschlag auf der Stelle eingeleuchtet, und so sei er, der Freiherr Kempen von Fichtenstamm, beauftragt worden, mit mir in diesem Sinne zu sprechen; dabei setzte Kempen eine Miene auf, als sei er just dabei, ein Füllhorn voll köstlichster Pretiosen über mich auszuschütten.

Kempen, schien mir, hatte zuviel von der Urheberschaft Grünnes an meiner projektierten Erhöhung in den Adelsstand geredet, um nicht in meiner Brust gewisse Vorbehalte entstehen zu lassen. Das Komturkreuz des Franz-Josephs-Ordens, äußerte ich, Insignium meiner vorgesehenen gräflichen Würde, wäre mir, da der Orden kürzlich erst von unserm Kaiser eigens gestiftet, noch nie zu Augen gekommen, und so möge Excellenz meine Neugier verzeihen: sei dieser Orden, wie andere ähnliche, gleichfalls in Brillanten gefaßt und habe besagtes Komturkreuz daher auch mehr als den Wert des Blechs, aus dem es gestanzt?

In diesem Augenblick riß dem Minister des Inneren und der Polizei die Geduld, welche ich in der Vergangenheit oft genug strapaziert. Sein Gesicht verzog sich im Zorn, seine Stimme schwoll an. Majestät, verkündete er, würden sich doch wohl gerade mir gegenüber nicht lumpen lassen, und schlimmstenfalls könnten ja er und Graf Grünne ihre persönlichen Ressourcen zusammenlegen, um mir ein paar extra Brillanten an mein Komturkreuz pappen zu lassen. Und damit genug des Disputs – akzeptierte ich nun die kaiserliche Gnade: Ja oder Nein?

»Ja«, antwortete ich.

*

Dieses nun schreibe ich ex post facto, will sagen nach erfolgter Beisetzung meines verstorbenen Freundes und, obwohl dieser in mehr als biblischem Alter dahingegangen, immer noch unter dem Eindruck meines Verlustes und mit tiefer Trauer im Herzen. Was, von dem Beschriebenen, ich nicht in eigner Person erlebt und mit eignen Augen gesehen, habe ich mir zuverlässig berichten lassen, das meiste von Radetzkys einzig überlebendem Sohn Theodor, Generalmajor im Ruhestand, seinem Haupterben – so viel war da ja nicht zu erben gewesen –, und von Fritzi, seiner Tochter.

Der Dr. Wurzian hatte als Todesursache eine Lungenlähmung angegeben, ich glaube, sagen zu können, daß der alte Soldat den Kampf mit dem übermächtigen Gegner, den er so lange in Ehren geführt, ganz einfach aufgab und antrat zur letzten Retraite; der Leib, diszipliniert wie stets, tat nichts als dem Kommando *Abtreten!* zu gehorchen. Daß dies alles unter der segnenden Hand der Kirche geschah, obwohl Radetzky sich als Freimaurer betrachtete und sogar von Rosenkreutzerischen Ideen beeinflußt war, erklärt sich, wie ich meine, daher, daß in Österreich das Freimaurerwesen zu der Zeit immer noch außerhalb des Gesetzes stand und Radetzky seinen Kindern Schwierigkeiten zu ersparen wünschte, denen er sich selber durch sein Ableben bereits entzogen haben würde.

Den Leichnam, sorgfältig einbalsamiert, bahrte man drei Tage in der Villa Reale auf und verbrachte ihn dann, geleitet von einer wahren Armee, 80 Kompanien zu Fuß, 8 Eskadronen zu Pferd und 24 Geschützen, in den Dom zu Mailand, wo er eingesegnet und danach zum Bahnhof gefahren wurde; die im Dom für den Stadtrat reservierten Bankreihen, vergaß Sohn Theodor nicht zu erwähnen, blieben leer; die Mailänder Bourgeois zeigten sich undankbar wie stets, obzwar ihnen der Marschall, nachdem er den Piemonteser König Karl Albert aus der Stadt gejagt, Häuser und Vermögen durch den forcierten Einmarsch der eigenen Truppen vor dem Zugriff des aufrührerischen Pöbels gerettet.

Vom Dom ging's zum Bahnhof, vorbei an Haufen von Menschen, welche sich nicht sicher waren, sollten sie jubeln, daß die Galionsfigur ihrer Unterdrücker endlich dahingerafft, und den Marschall noch im Tode verhöhnen, oder sollten sie doch lieber dem großen Manne, dessen Zeitgenossen sie gewesen, ihren Respekt zollen; schließlich, gefangen in diesem Widerstreit der Gefühle, entschieden sie sich, in einer ganz sonderbaren Stille zu verharren. Per Bahn wurde der Tote dann, in einem dreifach ineinander geschachtelten kostbaren Sarg, nach Venedig transportiert, wo ihn die k. u. k. Fregatte »Donau« zur Überfahrt nach Triest an Bord nahm, mit Flaggen auf Halbmast und großem Flottengepränge im Hafen der Stadt und auf den Kanälen, und gewaltigem Trauergeheul der Schiffssirenen, soweit solche vorhanden.

In Wien, wo der Zug des Abends eintraf, holten sie ihn ab auf dem Südbahnhof und beherbergten ihn über Nacht nicht etwa in der Hofburg, wie er's wohl verdient hätte, sondern in dem neuen Arsenal, einer Art Festung und Waffenlager, welches Franz Joseph als erstes eigenes Bauwerk hatte errichten lassen, damit er und sein Hof einen festen Schlupfwinkel hätten am Orte und nicht noch einmal ruhmlos retirieren müßten aus der Haupt- und Residenzstadt wie im Achtundvierziger Jahr – und kein Radetzky mehr zur Verteidigung des ehrwürdigen Throns. Und am nächsten Morgen fuhren sie den Leichnam vom Arsenal aus zum Glacis, wo, hoch zu Roß und mit gezogenem Säbel, der Kaiser in Person diesen erwartete, hinter ihm die ganze Garnison, zwanzigtausend Mann in Paradeuniform, bereit zur Trauerparade zu Ehren des treuesten Dieners und ältesten Veteranen Seiner Majestät und sieggekrönten Führers der kaiserlichen Armee. Das Ganze, einschließlich der Ruhmestitel, die er Radetzky im Tode verlieh, war Franz Josephs höchsteigenes Theater, von Grünne ersonnen, um mich und das Grab auf dem Heldenberg auszustechen; und Grünne hatte nicht geknausert mit der Komparserie, weiß Gott: an der Spitze des Kondukts ritten Dragoner in ihren weißen Umhängen, einer Geisterschar gleich, die gekommen, den Toten in ihr Reich zu führen, und neben dem prunkvollen Leichenwagen, gezogen von sechs pechschwarzen Pferden, marschierte im Schritt zu einem frisch komponierten Radetzky-Trauermarsch ein Trupp Husaren vom 5. Regiment, welches von nun an den Namen Radetzky tragen würde, und hinter dem Leichenwagen folgte, auf gepanzertem Rappen, ein Ritter in blinkender Rüstung, was nicht einmal als Symbol gedacht war für eines der Hauptmerkmale meines verstorbenen Freundes, seine Ritterlichkeit, sondern, wie mir Sohn Theodor anvertraute, zum Begräbnisritus gehörte bei hohen österreichischen Generälen. In der angegebenen Reihenfolge zog der Kondukt alsdann durch die Straßen Wiens, zwischen den gaffenden Reihen des Volkes hindurch, zum Stephansdom, darin ein Katafalk errichtet war für den Toten; doch ließ man diesen dort nicht zu lange liegen; überhaupt, so Fritzi, hätte sie das Gefühl gehabt, Majestät wollten sich selber eher zur Schau stellen als seinen Feldmarschall und diesen, so eilig als möglich, aus Wien wieder hinausexpedieren in einem Separattrain vom Nordbahnhof nach Stockerau, und von dort, wieder in einem von sechs Rappen gezogenen Leichenwagen, zu mir auf mein Schloß.

Der Morgen war kalt, wir schrieben den 18. Jänner des Jahres 1858, und als ich da stand unter dem ruhenden Löwen auf dem großen Torbogen zu meinem Schloßgarten, gehüllt in meinen Pelz, und auf den toten Freund wartete wie ich so oft auf den lebenden gewartet, dachte ich, wie gut, daß ich vor Tagen schon das Programm festgelegt für alles, was hier zu geschehen hätte und abzulaufen, bis wir den Leichnam in seiner Nische gebettet unten in meiner Gruft auf dem Heldenberg, und zitterte doch vor nervöser Spannung, ich könnt das eine oder andre übersehen haben im Drang meiner großen Trauer und der Auseinandersetzung mit der kaiserlichen Majestät und ihren Schranzen; im Schloß, wußte ich, waren sie schon eifrig am Werk, die kaiserlichen Hofköche und Hofbediensteten, die der Kempen mir geschickt, da meine eignen nicht zahlreich genug für all die hohen Offiziers und die Geistlichkeit, welche sich vollfressen und vollsaufen würden zum Gedenken an den verehrten Verstorbenen; doch da rollte der Kondukt schon in all seiner Pracht und Würde den Abzweig heran von der Stockerauer Chaussee, und ich blickte hinüber und sah, jenseits der sechs Rappen und des Wagens mit den wippenden schwarzen Federbüschen und der Leich darin, die kaiserliche Kutsche und erkannte, durch die Kutschfenster hindurch, das golddurchwirkte Grün des Federbuschs auf dem kaiserlichen Prachthelm und den Grafen Grünne, und dazu zwei Erzherzöge noch, und das alles mitsamt dem ganzen bunt uniformierten und betreßten und medaillenbehängten Haufen dahinter war zu mir gekommen auf mein Schloß und meinen Heldenberg, zu dem Fetzentandler und

Armeelieferanten Joseph Pargfrider, und ich zog meine Zobelfellkappe und beugte mein Haupt vor der Majestät, aber nicht zu tief.

Der Leichenwagen fuhr hin zu meiner Schloßkapelle, die ich hatte gesondert herrichten lassen für die Occasion, denn ich hatte statt der religiösen Bilder neben dem Altar zwei große Ölporträts hängen lassen, das eine Wimpffen zeigend in seiner Uniform als Kapitän der Ersten Arcieren-Leibgarde und das andere meinen Freund Radetzky, ganz einfach und anspruchslos, in seinem hechtgrauen Röckchen, so wie ich ihn das letzte Mal gesehen bei meinem Besuch in Mailand; und in der Schloßkapelle bahrten wir den Leichnam auf, und die örtliche Geistlichkeit ging zu Werk und flehte den himmlischen Segen herab auf ihn und empfahl ihn den Engeln und der hlg. Dreieinigkeit. Nie wieder, das wußte ich, würde eine so erlauchte und zugleich so dramatisch kostümierte Gesellschaft meine Kapelle füllen; besonders die russischen Generäle, die der Zar gesandt, erglänzten aufs prächtigste von oben bis unten; und ich fragte mich, was der Selige zu dem allen gesagt haben würde, und war doch ganz froh, daß ich's ihm zu guter Letzt noch hatte bieten können, einschließlich der Anwesenheit des Kaisers; und dann erblickte ich, nahe der Tür zur Sakristei, meine Anna Liane, die es irgendwie fertiggebracht, sich einzuschmuggeln; sie schien nicht ganz sicher auf ihren Beinen; dabei lächelte sie mich von der Seite her an, als wüßte sie, was in mir vorging.

Danach wurde der Sarg wieder auf den Leichenwagen gehoben, und die Rappen zogen diesen auf dem asphaltierten Weg, den ich hatte anlegen lassen, hinauf zum Heldenberg, vorbei an Rammelmayers drei Parzen mit dem zerschnittenen Lebensfaden, bis vor den Obelisken, auf dessen Spitze der Todesgenius stand mit gesenkter Fackel, und die Husaren kamen, ein Dutzend ihrer Unteroffiziere an Zahl, und luden den Sarg auf ihre Schultern und trugen ihn, unter Geschützdonner und Musketengeknatter, zur offenen Tür der Gruft, gefolgt von mir und dem Kaiser und Sohn Theodor und Tochter Fritzi und sonst niemandem, und vor der Tür ließen wir Sohn und Tochter Radetzkys zurück, und ich schritt, dem Kaiser und den Sargträgern voran, die vierundzwanzig Stufen hinab zur Grabkammer, wo der Sarg, vis à vis der Nische, in welcher Wimpffen ruhte, auf dem Podest dort abgestellt wurde; und nachdem die Träger sich polternd zurückgezogen, blieben nur wir zwei, Majestät und ich, zurück.

Welch ein Moment! Für mich, für den Kaiser! Sicherlich hätt ich's vorgezogen, wenn ich alleine den letzten Abschied hätt nehmen können von dem toten Freund; wie es war, wirkte die Gegenwart des Kaisers sich doch recht störend aus auf meine Gefühle, und ich fragte mich, gegen meinen Wunsch, was denn jetzt wohl vorgehen möchte in der Seele des Franz Joseph: wahrscheinlich nichts Ernsthaftes, wahrscheinlich dachte er, wenn das alles nur schon erledigt und er zurück wär heroben im Licht des Tages und in der frischen kalten Luft – da sah ich, daß der Kaiser die von dem Schlossermeister Prüll in Wien so fein gearbeitete Falltür in der Mitte des Fußbodens der Grabkammer entdeckt hatte, und hörte ihn fragen, »Wohin geht's da?«

»In die untere Etage des Grabgewölbes, Majestät«, antwortete ich. »Soll ich die Tür anheben lassen? Möchten Majestät selber schauen?«

»Und für wen ist der Platz dort reserviert«, erkundigte er sich, »wer soll dort zu liegen kommen in der untern Etage?«

»Ich.«

»Ah.« Er schien nachzudenken. »Damit Sie's ein Stück näher haben zum Teufel beim Jüngsten Gericht?«

Ich blickte ihm direkt ins Gesicht und sagte, »Wenn Majestät Wert legen auf die vorteilhafte Position, ich bin gern bereit, ein bissel beiseite zu rücken für Sie.«

Dann war alles vorüber. Die Ehrengäste waren abgespeist und

hatten sich nach Wien zurückbegeben, volltrunken zum Teil und unter Hinterlassung beträchtlicher Schäden in den Räumen des Schlosses, und sogar die Dorfbewohner und die Leute aus der Umgebung, welche die große Leich hatten sehen wollen und fromm niedergekniet waren längs ihres Wegs, hatten sich davongemacht zu ihren Behausungen, und ich stand allein unter den Statuen und Büsten meines Heldenbergs und dachte, Was ist Ruhm und was sind die Werke der Menschen, alles ist eitel.

NACHWORT

An Wladimir D. Grinberg
10 Rupin Street
Tel Aviv 63576

Lieber Wolodja,
in der Beilage schicke ich Dir eine Abschrift der Aufzeichnungen des Gottfried Joseph Pargfrider, deren Original Du damals, Ende des Krieges, bei Deinem Besuch in seinem Schloß zu Wetzdorf hast mitgehen heißen und während so vieler schwieriger Jahre Dir aufbewahrt und am Ende mir anvertraut hast in der Hoffnung, ich könnte sie als Vorlage für eine literarische Arbeit benutzen.

Wenn Du, was ich doch annehmen möchte, Zeit und Gelegenheit hattest – bei aller Schwierigkeit, welche die Lektüre des Pargfriderschen Manuskripts bereitet –, dieses durchzulesen, wirst auch Du gefunden haben, daß der Mann uns ein rares Geschichtsbild und ein Bild zumindest seines eignen Charakters geliefert hat, wie sie, das ist meine Erfahrung, in der Fiction eines Romanciers kaum prägnanter hätten gezeichnet werden können. Natürlich hätte mich als Romanautor, ebenso wie den Romanleser, mehr und anderes noch interessiert, Pargfriders Frauen etwa – waren es tatsächlich die wenigen nur im Lauf seines langen Lebens gewesen, die er in seinen Aufzeichnungen erwähnt? – und Näheres über sein Verhältnis zu diesen Frauen sowie über seine seelische Entwicklung und seine eigenen Gedanken und Gefühle, von denen er leider nur gelegentlich spricht: ihn interessiert in der Hauptsache der Heldenberg und dessen Entstehen, sein Lebenswerk eben; dieses beschäftigt ihn am meisten; alles andere setzt er als bekannt voraus, da er nur für einen Leser schreibt, sich selber, und auch das komprimiert in die kurze Frist vor der Beisetzung Radetzkys unter dem Obelisken.

Nachdem ich auf Grund des Vorhandenen mich in den Charakter Pargfriders hineingelesen, ja, hineinversetzt hatte, war ich versucht, dies gestehe ich Dir, Wolodja, seinen Text an verschiedenen Stellen zu ändern oder zu ergänzen – hinzuzudichten, könnte man's nennen. Aber ich glaubte, nicht das Recht zu derlei Korrekturen zu haben. Möge der Leser, gleichfalls auf Grund des Vorhandenen, sich seine eignen Versionen der Jugendjahre unsres Helden erfinden und der Erlebnisse, aus welchen dessen spätere Aktionen und Reaktionen erwuchsen, möge der Leser selber nachdenken über die Alternativen, die sich Pargfrider zu gewissen Zeiten geboten haben mochten, und warum er diese nicht aufgriff, und über andere erzählerische Elemente, welche gewöhnlich der Romancier beibringt, um seinen Helden dem Leser schmackhaft zu machen – außerdem kosteten mich die Redaktion des Manuskripts und die Entscheidungen, die im Zusammenhang damit zu treffen waren, schon soviel Arbeit und Mühe, daß ich wenig Lust verspürte, dem von Pargfrider Gelieferten auch noch eigene Texte einzufügen. Ach, diese Handschrift, diese ineinander fließenden, einander so beschwerlich ähnelnden schrägen Buchstaben des Mannes, dazu die Schreibfedern, die er benutzte und die sich im Papier festhakten, es bekleksten und so manches Wort fast unleserlich machten, und die Altersflecken auf den Seiten, welche die bereits verblichenen Schriftzüge zusätzlich trübten! Diese Orthographie, diese stilistischen Nücken und Tücken, bei denen man nie zuverlässig zu sagen wußte, entstammten sie der Zeit oder waren sie

Pargfriders persönliche Eigenheiten – Resultat seiner mangelhaften Schulbildung beziehungsweise Folgen der Art von Geschäftskorrespondenz, die er zu führen gezwungen.

Ich beschränkte mich also auf eine Wortredaktion, die seinen Text komplettierte, wo sich deutliche Lücken zeigten, seine Orthographie der unseren anglich, seine Abkürzungen vervollständigte, wo dies notwendig erschien, und grammatische Schnitzer eliminierte – die eigene Note in Pargfriders Ton und Wortwahl jedoch beließ und unter keinen Umständen Sinn und Bedeutung dessen, was er auszudrücken sich vorgenommen, veränderte. Nachdem ich sein Manuskript auf diese Weise durchgearbeitet, verspürte ich bei aller kritischen Distanz zu ihm, ich gesteh's, eine gewisse Zuneigung zu dem Menschen Pargfrider, und wäre ich sein Zeitgenosse gewesen, wer weiß, ob ich mich nicht bemüht hätte, Verbindung zu ihm aufzunehmen; bestimmt aber hätte ich ein, wir heute würden sagen, psychologisches Interesse an ihm entwickelt: wie ich es hundert Jahre später dann getan habe.

So aber blieb mir, wollte ich Pargfriders Motive erkennen, nur der Bezug auf meine eigene Lebenserfahrung – und meine Phantasie, zu deren Stützung ich mich auf den Weg machte, die Örtlichkeiten kennenzulernen, in welchen Pargfrider gelebt, und den genius loci nachzuempfinden und die Atmosphäre, in welchen er seine Entschlüsse traf. Als ich dann nach Klein-Wetzdorf kam, um mich auf seinem Schloß umzutun und mir sein Porträt von der Hand des Malers Anton Einsle näher zu betrachten, das dort in einem der Salons hängt, und um einen persönlichen Eindruck zu erhalten von Pargfriders Heldenberg, durchlief es mich ganz sonderbar, und vor seiner Gruft war es mir plötzlich, als stünde er vor mir, gekleidet in seinen Zobelpelz, in Gedanken versunken, deren Inhalt mir völlig vertraut, und höbe die Hand und winkte mir einladend zu.

Es existiert kein eigentliches Pargfrider-Archiv. Die kürzlich verstorbene letzte Besitzerin von Schloß und Gut Wetzdorf, eine liebenswürdige alte Dame, hat aber, damals noch in jungen Jahren, dafür gesorgt, daß das nach den Wirrnissen und Zerstörungen des Zweiten Weltkriegs von Pargfriders Papieren noch Vorhandene eingesammelt und sorgfältig aufgehoben wurde. Einiges davon ist ausgestellt in Vitrinen in den Zimmern des Schlosses, das meiste liegt dem Auge des Besuchers verborgen unter Verschluß. Ich durfte Einsicht nehmen in eine von Pargfrider selbst signierte handschriftliche Kopie seines Testaments und war überrascht von der Sorgfalt und dem Detail der Bestimmungen in den mehr als ein Dutzend Paragraphen, in welche das Dokument gegliedert ist: das geht bis zu den 15 Gulden, dem jeweiligen Ortspfarrer von Groß-Wetzdorf für die von Pargfrider gestifteten drei heiligen Messen zu zahlen, »die der Pfarrer jährlich am 29. August, dem Todestag des Marschalls Baron Wimpffen, dann am 6. Jänner, als dem Todestage des Feldmarschall Grafen Radetzky, und an meinem Todestage« zu lesen hat, und der Angabe, wo die Quittungen zu finden seien für die Zahlungen, die Pargfrider zeit seines Lebens seinem illegitimen Sohn Joseph geleistet hat, weshalb diesem kein weiteres Erbe zustünde, und einer ausführlichen Beschreibung der Zweizimmerwohnung, welche Pargfrider seiner Anna Liane in seinem Wiener Haus in der Leopoldstadt für den Rest ihres Lebens mietfrei zuweist, samt Mobiliar, Bett- und Tafellinnen, Porzellan, Bestecken und Küchengeschirr aus seinem Besitz. Vor allem aber trifft er, gleich auf der ersten Seite seines Testaments, bis ins einzelne gehende Bestimmungen über die Art und Weise der Überführung seines Leichnams zu seiner Gruft auf dem Heldenberg. Der Gegensatz seines eignen Leichenbegängnisses zu dem Pomp und den Zeremonien bei der Beisetzung Radetzkys ist so erstaunlich, daß ich Dir wörtlich zitieren möchte:

»Nach meinem Tode soll mein Leichnam gehörig einbal samiert und in dem Sarge, welcher durch den Tischlermeister Rokosch bereits verfertigt und dessen fünf Bretter, einstweilen zusammengeschraubt, in meiner Schloßkapelle deponiert sind, hineingelegt, nach 24 Stunden von dem Pfarrer in Großwetzdorf eingesegnet und gleich der Leiche des ärmsten Mannes im Dorfe ohne alles Aufsehen, ganz im stillen, ohne Glockengeläute, und ohne Begleitung des Pfarrers, des Schullehrers oder anderer Trauernden oder Nichttrauernden, indem ich durchaus kein feierliches Begräbnis haben will, Abends zehn Uhr, zu der von mir erbauten Gruft am Heldenberge durch meine Meierpferde hingeführt, und alldort an dem für mich bestimmten Platz beigesetzt werden; worüber von S. Majestät dem Kaiser von dato Wien am 24. Feber 1858 Nr. 552/c.k. die Bewilligung unter den Akten über die Abtretung des Heldenberges an S. Majestät vorliegt, und ich das Nähere mündlich und schriftlich an meinen Hochverehrten Freund Herrn Heinrich v. Drasche und meinen Inspektor Herrn Ferdinand Nittel mitgeteilt habe. Sollte ich nicht in meinem Schloß in Wetzdorf mit Tode abgehen, so haben die zwei Obgenannten dafür zu sorgen, daß mein Leichnam dahin geführt und, so wie ich eben angegeben habe, bestattet werde. Für die Einsargung meines Leichnams in der Schloßkapelle sind dem Herrn Pfarrer 100 Gulden, dem Schullehrer 50 Gulden und jenen, die meinen Sarg in die Gruft hinabtragen, und zwar, wenn sie noch am Leben und in meinen Diensten stehen, dem Kutscher Franz Samer, Schlosser Pfeifer und Tischlermeister Johann Rokosch, dermalen Hausmeister bei mir in Wien, 10 Gulden Öst. Währung einem jeden aus der Wetzdorfer Schloßkasse zu bezahlen.«

Welche Vollständigkeit und Genauigkeit! Zumindest sagt dieser Text einiges über den Mann aus. Doch von besonderem Interesse für Dich, mein lieber Wolodja, da Du ja dank der krankhaften Neugier, oder war's Ängstlichkeit, des Obersten

Petruschkin dem toten Pargfrider persönlich begegnet bist, ist die Anfügung zu dem Testament, gleichfalls in Pargfriders Handschrift und ordentlich signiert und gesiegelt, welche sich mit seinem Sarg und seiner Placierung darin befaßt.

>>Beschreibung des Sarges, in welchem
Joseph Ritter von Pargfrider
in sitzender Stellung ruht:

Gleich am Boden des oberen Teils der Gruft befindet sich eine doppelte eiserne Tür mit einem Kreuz versehen. Öffnet man diese Türe, so führen 9 enge Stufen hinunter zu einem aus Zink verfertigten schief liegendem Sarge mit einer genau passenden Türe versehen; innerhalb dieses, man kann sagen, Kastens ist ein Sessel ebenfalls aus Zink angebracht; darauf sitzt der Tote in einem rotgeblümten seidenen Schlafrocke mit einem Käppchen ohne Schirm auf dem Kopfe, wie man es eben oft gestickt im Hause trägt; damit aber der Tote halte und zugleich verdeckt werde, so ist über ihn eine zinkene Rüstung eines Ritters, bestehend aus drei Teilen, welche genau wieder zusammenpassen, angebracht, wovon der erste Teil Kopf und Brust, der zweite obere und untere Schenkel und der dritte Teil die Füße bedeckt. Diese hohle Rüstung ist an der Wand des Sarges, worin der Tote sitzend lehnt, mittels Schrauben befestigt, und von vorne geht ein zinkenes Schwert durch die hohle Ritterhand, welches unten am Boden in einer Narbe befestigt ist, und von vorne die Rüstung fest anschließend macht.

Man glaubt von außen einen Ritter mit dem Schwerte sitzend zu sehen.

Über dieser Rüstung samt Truhe ist eine kleine passende Tür angebracht und geschlossen, dann erst folgt die oben beschriebene Türe des schiefen Sarges, die 9 engen Stufen und die äußerste flach am Boden liegende eiserne mit einem Kreuz versehene Tür.<<

Wenn ich mich recht an Deine Erzählung während unsrer ersten Begegnung erinnere, lieber Wolodja, hast Du Pargfrider ja auch exakt so vorgefunden, wie der Selige es hier angeordnet. Bei meinen Recherchen in Wetzdorf habe ich erfahren, daß das österreichische Verteidigungsministerium, das jetzt für die Erhaltung des Heldenbergs zuständig ist, einem Wiener Geschichtsprofessor die Genehmigung erteilte, bis in den unteren Teil der Gruft vorzudringen und dort zu photographieren oder sogar zu filmen. Dabei hat sich bestätigt, daß unser Held auch jetzt noch in der von ihm testamentarisch festgelegten Kostümierung in seinem Sarge sitzt; allerdings muß jemand in der Zeit zwischen Deinem Besuch bei Pargfrider und jenem des Professors den Kopf, der den Obersten Petruschkin in die Flucht schlug und den Du damals dem Toten nur provisorisch wieder auf die Schultern setzen konntest, auf solidere Art befestigt haben.

Laß mich wissen, was Du von der Idee hältst, Pargfriders Aufzeichnungen in der Form zu veröffentlichen, wie Du sie damals vorgefunden hast, nur eben von mir redigiert.

Herzlich grüßend und mit guten Wünschen für Deine Gesundheit,

Dein S. H.

DANKSAGUNG

Für ihre Hilfe bei meinen Recherchen zu diesem Buch danke ich
Herrn Dr. Alexander Fiebig, Zeitungsabteilung der Staats-
bibliothek Berlin
Herrn Dr. Armin Mitter, Humboldt-Universität Berlin
Herrn Prof. Dr. Walter Beltz, Universität Halle
Herrn Gustl Weishappel, München
Herrn Richard Swartz, Wien
Frau Jutta Fichtl, sel.
Frau Elisabeth Neubauer, beide auf Schloß Wetzdorf